ISABELA FREITAS
NÃO SE APEGA, NÃO

ISABELA FREITAS

NÃO SE APEGA, NÃO

© 2014 by Isabela Freitas

PREPARAÇÃO
Kathia Ferreira

REVISÃO
Suelen Lopes
Vania Santiago

CAPA E PROJETO GRÁFICO
Contágio Criação

FOTO DA AUTORA
Leo Aversa

DIAGRAMAÇÃO
Julio Moreira

O trecho da página 221 é de Gyomay Kubose, em *Budismo essencial*, ed. Axis Mundi, 1995.

CIP-BRASIL. CATALOGAÇÃO NA PUBLICAÇÃO
SINDICATO NACIONAL DOS EDITORES DE LIVROS, RJ

F936n

    Freitas, Isabela, 1990-
        Não se apega, não / Isabela Freitas. - 1. ed. - Rio de Janeiro : Intrínseca, 2014.
        256 p. ; 23 cm

    ISBN 978-85-8057-533-0

    1. Técnicas de autoajuda. 2. Autoestima. I. Título.

14-14191   CDD: 158.1
                                              CDU: 159.947

[2014]
Todos os direitos desta edição reservados à
EDITORA INTRÍNSECA LTDA.
RUA MARQUÊS DE SÃO VICENTE, 99, 3º ANDAR
22451-041 – GÁVEA
RIO DE JANEIRO – RJ
TEL./FAX: (21) 3206-7400
WWW.INTRINSECA.COM.BR

Para o meu pai, por me ensinar a amar os livros.
E para minha mãe, por me ensinar a amar as pessoas.

ÍNDICE

20 regras do desapego — 9

capítulo 1
O que seria dos começos se não existissem os finais? — 13

capítulo 2
Desapego não é desamor — 29

capítulo 3
Mudanças não precisam ser drásticas para significar alguma coisa — 41

capítulo 4
Se você se apega muito ao passado, está destinado a revivê-lo todos os dias — 71

capítulo 5
Coração feito de vidro. Ora quebra, ora corta — 87

capítulo 6
Querido Cupido, desejo que você morra atingido pela própria flecha — 107

capítulo 7
Às vezes só precisamos libertar a garota má que existe aqui dentro — 123

capítulo 8
As pessoas sempre descobrem novas formas de nos decepcionar   147

capítulo 9
Não confie demais em quem você não conhece   161

capítulo 10
Que garota nunca se sentiu totalmente perdida?   179

capítulo 11
Onde o "algo mais" se esconde   191

capítulo 12
Dois corações partidos às vezes se encaixam   209

último capítulo?
O meu ponto fraco é o ponto final   247

agradecimentos   253

20 regras do desapego

1. Odiar as pessoas não leva a nada. O ódio corrói nosso coração e o deixa fraco pra receber amor.

2. Fingir que sou insensível e que não me importo não funciona. Eu me importo, sim. E eu choro muito também. E que se dane o que as pessoas pensam disso.

3. Não adianta tentar segurar as pessoas na nossa vida. Se elas precisam ir, deixe que se vão. O que for de verdade, volta. Se você vai querer de volta, bem, isso a gente não tem como saber, né?

4. Mudar as pessoas não é algo que esteja a seu alcance. As pessoas só mudam quando querem mudar. E, geralmente, elas não querem.

5. Fugir das coisas não me livra delas. Só agenda o sofrimento mais para a frente.

6. As pessoas são falsas, e sempre que tiverem uma oportunidade vão te apunhalar pelas costas. Pelo menos grande parte delas. É que ser verdadeiro é muito difícil.

7. Amigo de verdade é raro e 90% daqueles que você considera "amigos" são apenas morcegos sugadores de felicidade.

8. Os homens não são todos iguais. Alguns apenas ainda não amadureceram, assim como as mulheres.

9. O amor não é brega. Brega são os que não dão uma chance ao amor.

10 Desistir do outro não é fracassar. É ter a consciência de que algumas pessoas simplesmente não valem o seu esforço. Se não há reciprocidade não é amor. É insistência.

11 A saudade é a urgência de amar.

12 A maioria não está sempre certa. Às vezes a perfeição jaz na exceção.

13 Sorrisos são sempre bem-vindos. Mesmo que dados por um desconhecido na rua.

14 O mundo gira. Nenhuma tristeza é tão eterna que não deixe um espacinho para a felicidade.

15 Cair de cara no chão é normal. O difícil é saber se reerguer com um sorriso no rosto.

16 Quem é inteiro não precisa procurar pela sua metade.

17 Deixar o passado no passado é realmente muito difícil. Mas precisamos disso para seguir em frente.

18 Eu não preciso ser a "única" de ninguém. Preciso ser a única de mim.

19 É preciso acreditar nas pessoas, mesmo quando nem elas mesmas acreditam.

20 Ter a urgência de ser feliz te impede de ser realmente feliz. Deixe que a vida aconteça, porque ela acontece quando estamos distraídos demais para planejá-la…

"É difícil acreditar de novo quando você já acreditou demais em quem não fez por onde...

Isabela Freitas / @IsabelaaFreitas

CAPÍTULO 1

O que seria dos começos se não existissem os finais?

Acabou. *The end*. Fim. Deve ser engraçado começar uma história pelo final, eu imagino. Quase todos os livros que já li até a data presente têm protagonistas que se apaixonam logo no início, lá pelo meio aparece algo que impede esse amor de acontecer e, no final..., bem, felizes para sempre. Aqui vai ser um pouco diferente, me perdoe. Eu jamais gostei de seguir padrões.

Sabe o meu namoro? Então, terminei. É difícil depois de um bom tempo junto com outra pessoa não ter pelo menos uma listinha de motivos para dar um ponto final. Quando a coisa está definhando, a gente segura até onde dá, porém chega um momento em que tudo voa pelos ares, como quem acorda num dia e, de frente pro espelho, fala: "Cansei da cor deste cabelo". Eu cansei, cheguei no meu limite.

Minhas amigas não acreditaram. "Como assim? Achei que vocês fossem se casar"; "Mas vocês eram um casal tão lindo..."; "Isabela, você é louca". Louca, eu? Loucos são os que mantêm relacionamentos ruins por medo da solidão. Loucos são os que aguentam desaforo seguido de desaforo para não se verem sós, em suas próprias companhias. Eu não tenho medo de ficar sozinha, afinal, nasci assim... Qual é? Tá, talvez eu tenha lá um pouquinho de medo de ficar sozinha, talvez isso seja mesmo normal... Mas não posso aceitar a ideia da total dependência de um namorado; eu preciso aprender a viver sem estar com alguém do meu lado.

O que acontece é que, na realidade, ninguém sabia tudo o que se passava no meu relacionamento. Ele era ciumento, possessivo, e achava que tinha o direito de controlar a minha vida. E, tudo bem, eu era apaixonada por ele. Eu era *muito* apaixonada por ele. Daquelas que se apaixonam e ficam por um bom tempo em transe hipnótico, um estado mental em que é impossível enxergar defeitos. Por isso era de esperar (e isso ocorreu muitas vezes) que eu mudasse o meu jeito para garantir a felicidade de todos (dele), mas não. Tudo tem limite.

Eu não acho que tenha de mudar o meu jeito para manter um namoro. Talvez podar algumas atitudes mais radicais, aquelas escorregadas em que a gente age sem pensar e, quando se dá conta, já foi. Por exemplo, talvez fosse melhor deixar de lado os papos com aquele carinha com quem eu ficava na época do colégio e fingir que não vi o ex-namorado gatíssimo passando no outro lado da rua. Coisas que parecem simples mas que só quem as vive sabe o trabalho que dão.

Porém, mudar o meu jeito de ser? Não mesmo. Nasci assim, expansiva. Meu maior prazer é sentar em uma mesa de bar rodeada de amigos, falar alto, gargalhar como se estivesse no próprio quarto. Eu nunca me importei muito com o que as pessoas pensam sobre mim e, bem, já meu namorado... se importava demais. Até concordo com a teoria de que os opostos se atraem e todo aquele blá-blá-blá, no entanto as pessoas não podem ser *tão* diferentes. Tentei pedir que ele aceitasse o meu jeito, tentei explicar que não precisava ter ciúmes dos meus amigos, tentei passar a confiança que tanto faltava por parte dele, tentei mostrar que ele poderia ser uma pessoa melhor se quisesse... Nada mudava.

Leve para a vida: você pede uma, duas, três vezes... Na quarta é hora de tomar uma atitude.

E eu tomei. Sem medo.

É claro que eu tinha plena consciência de que ia sofrer, afinal, foram dois anos ao lado da mesma pessoa. (Pausa dramática.) Dois anos. E isso é tempo demais, demais mesmo. Que tipo de garota começa um namoro aos vinte e fica estagnada nesse relacionamento, que não lhe faz *tããо* bem, por dois longos anos? Euzinha aqui. Sei que nesse tempo eu poderia ter feito um intercâmbio, conhecido um príncipe londrino e me casado (casado não, ok. Mas me apaixonado eu poderia, viu?). Só que a vida é assim. Adora jogar na sua cara que os caminhos são muitos e que devemos aceitar a consequência da escolha de cada um deles. Não me arrependo em momento nenhum de ter feito o que fiz, os erros existem para que aprendamos a acertar. Se não errássemos dia após dia como saberíamos quando acertamos?

E, francamente, términos não são de todo ruins. Tão logo pus um ponto final no meu namoro, me vi rodeada de pessoas que queriam meu bem e minha felicidade, sem falar numa gostosa sensação de liberdade que, aos poucos, foi tomando conta de tudo. Senti-me como um presidiário que acaba de recuperar a liberdade. Meus amigos podiam até não entender o que se passava na minha cabeça confusa, entretanto me deram as mãos e disseram que apoiavam minhas decisões, por mais loucas que aparentassem ser no calor da hora.

Não demorou muito para surgirem os primeiros "Bola pra frente, aproveita sua vida!", "Finalmente, não aguentava te ver sofrer mais", "Você tem tudo pra brilhar e não precisa de ninguém pra ofuscar o seu brilho". Porém, quando escutei um "Quê?! Você terminou? Mas vocês eram um casal perfeito!", fiquei um bom tempo paralisada, tentando digerir o que, afinal, minha amiga queria dizer com isso.

"Casal perfeito." O que é um casal perfeito? Um garoto nem tão bonito, nem tão feio, estatura média, 1,75 metro, cabelos e olhos castanhos. Ele gosta de rock, pop, blues e de viajar nos fins de semana. Ao lado, uma menina bonita, um pouco insegura, loira, olhos castanhos, 1,63 metro (que é pra ficar quase da altura dele quando colocar um salto). Adora pop rock, hip-hop e indie folk. Essa combinação estranha passava pra um montão de gente a ideia de que éramos perfeitos um pro outro. "Perfeitos."

"Casais perfeitos" existem em todos os cantos, desde Juiz de Fora, onde moro, até os confins do mundo. E eles estão sempre ali para lembrar como os "solitários" são "infelizes". Olhe pro lado, isso, aposto que você está vendo um deles. Casais que se sentam à mesa de restaurantes, sorriem, são discretos, conversam educadamente um com o outro e, de vez em quando, dão as mãos na hora de ir embora. Alguns arriscam até um beijinho tímido. Chega a dar inveja, não é mesmo? Que nada!

Quer saber um segredo? A maioria desses casais não se suporta, convenhamos. Às vezes, a mulher está planejando um modo de colocar veneno na comida do marido, e ele pensando na amante que o aguarda mais tarde naquele motel barato. Vai saber? Não é porque sorriem, se beijam e andam de mãos dadas que são felizes. Aliás, eu sou da seguinte opinião: afeto não precisa ser demonstrado em excesso. Todas as pessoas que querem mostrar demais que estão inabalavelmente felizes, aos meus olhos, são as mais miseráveis. São aquelas que tentam se convencer da própria felicidade. Como se dizer a si mesmo "eu sou muito feliz" fosse mudar alguma coisa. Piada.

Portanto, choquei uma pá de amigos que consideravam meu namoro perfeito. Parece que, pra muita gente, basta estar namorando pra tudo parecer uma novela das nove. Quem me via no cinema rindo do filme ao lado dele não imaginava quão infeliz eu estava. As pessoas que se sentiam "solitárias" ao observar meu relacionamento do lado de fora da redoma não sabiam como eu me sentia só lá dentro. Eu estava vazia, e esse vazio começava a triturar meu estômago, que antes era habitado por borboletas coloridas e esvoaçantes dos mais diversos tamanhos. Eu estava me destruindo para poder manter um relacionamento. E, olha, não vale a pena.

A partir do instante em que você está namorando, ou apenas ficando mais seriamente, e isso começa a te fazer mais mal do que bem, é hora de ir em frente. E eu sei que tomar essa atitude é difícil demais; você só consegue se lembrar das coisas boas e se segura firmemente a elas. Por Deus, eu ainda me forçava a lembrar todos os dias a sensação que senti na primeira vez em que o vi. E, nesses últimos tempos, essa sensação não era tão forte. É dado o momento em que o peso de anular todo o mal que a outra pessoa te fez passa a cansar e você se vê quase de joelhos no chão, implorando para que um milagre caia dos céus. Porque nós somos assim, é normal. Gostamos de acreditar que tudo ainda pode mudar, que ainda pode ser como antes, que ainda pode existir faísca em meio aos destroços do incêndio. No entanto, a verdade é que uma vez que a água apagou o fogo, dificilmente ele se alastrará novamente. Dar fim a etapas não é necessariamente um sinal de fracasso. Minha ideia é que é preciso comemorar o que foi positivo e seguir de cabeça erguida para a próxima. Numa boa.

A vida é uma sequência de etapas, fases e conquistas. Relacionamentos não são nada mais que isto: fases seguidas de conquistas.

Sempre digo que todas as pessoas no mundo têm pelo menos três relacionamentos que marcam: o primeiro "amor", que ficou lá na infância, aquele que um dia você achou impossível viver sem, mas que descobriu uns anos mais tarde ser nada mais nada menos do que paixonite de criança; o "amor" que machuca e destroça, aquele que nos deixa loucos, insanos, que nos faz passar por cima de nossos princípios, esquecer tudo aquilo que lemos e aprendemos, brigar com amigos, família, ultrapassar montanhas pessoais para, no fim, descobrirmos que estávamos lutando por uma causa infundada. Lutávamos sozinhos, enquanto a outra pessoa só fazia correr e se afastar. Esse falso amor nos ensina bastante e talvez seja um dos mais importantes na vida de todas as pessoas. Sabe aquele canalha que te fez sofrer e chorar abraçada ao seu travesseiro por noites seguidas? Ele foi o cara mais importante da sua vida. Está duvidando? Pois então vou te contar uma história e depois eu falo sobre o terceiro tipo de relacionamento que marca a vida da gente...

Mulheres nascem sabendo amar — criaturas tão frágeis e inocentes. Elas têm aquela pureza no olhar, aquele brilho que ilumina qualquer escuridão. O coração das mulheres nasce de portas abertas e com um tapete de boas-vindas. Elas crescem escutando histórias sobre príncipes e princesas, gostam de rosa e acham que o amor é a causa e a solução de todos os problemas. Também admiram os próprios pais e sonham com o dia em que serão iguais a eles, ou com o dia em que serão diferentes (já que o divórcio está em alta atualmente). A verdade é que mulheres vivem em um conto de fadas que não existe. Que nunca existiu. Que está ultrapassado e fora de moda. Ah, me esqueci de dizer que as mulheres tendem a ter uma fé inabalável. Acreditam até o fim, e se o fim chega por que não começar de novo? E elas acreditam, sonham e se agarram a esperanças, até o momento em que *ele* aparece.

Ele aparece porque ele sempre aparece mesmo, não tem jeito. No livro de cabeceira de todas as garotas sempre há um capítulo dedicado a ele — o canalha que partiu seu coração. Como sempre, ele chega de mansinho, pede para entrar, faz a sala, a cama e ocupa todo o espaço. De repente todas as músicas parecem que foram feitas para vocês e que seu estômago vai explodir cada vez que se veem. O olhar se torna vago, a fome desaparece e até uma aula de Biologia soa poética. Aos poucos você esquece quem é, o que quer e quais sonhos tem. Isso é o "amor"!

O "amor" pode ser perigoso se ingerido em doses altas. E, quando acaba o estoque, pode ser fatal.

Finalmente chega o dia que irá mudar sua vida para sempre. Ele se aproxima com um discurso planejado, daqueles que a gente treina em frente ao espelho para não sair do tom. Enquanto cospe desculpas e frases feitas na sua cara, você não consegue escutar nada do que ele diz porque está concentrada demais em não deixar que as lágrimas desçam assim tão facilmente. Não na frente dele. E você apenas sorri e acena com a cabeça — já que isso é o máximo que o seu corpo pode dar em retribuição ao que você não compreende. Não há forças para pedir que ele fique, muito menos para contestar sua decisão — ela já foi tomada. Vocês se despedem.

O caminho de casa nunca pareceu tão desgastante, e seus passos nunca soaram tão pesados. Sente o coração sangrando e expulsando qualquer vestígio de amor que possa existir ali dentro. E isso é dor. Rasga o peito.

Só mais cinco minutinhos. Você consegue, menina.

Mais alguns passos. Na segurança da sua cama e no abraço caloroso do seu travesseiro, as lágrimas podem cair — e que caiam o tempo necessário para que o expulsem de seu corpo. O que é engraçado é que você não está chorando porque ele se foi.

Chora porque sua inocência e sua pureza foram tiradas à força. Aquela menina que acreditava em contos de fadas e sonhava com um amor para sempre desaparece. Ela aprende a dar ponto nas feridas abertas e esperar que elas se tornem apenas cicatrizes. Aprende a reconstruir um coração partido e isso, talvez, seja a maior lição de sua vida.

Será que agora você entende a importância de ter o seu coração dilacerado por algum idiota?

Cair menina, se reerguer mulher.

E isso só o amor que machuca pode fazer por você. Se já passou por isso, parabéns por essa conquista. Se ainda não viveu nada disso, prepare-se. É necessário.

Você deve estar se perguntando agora qual é o terceiro e último relacionamento que marca a vida de uma pessoa. Bem, é ele. Ele mesmo. Aquele que se esconde em detalhes, olhares e coisas pequenas. Aquele que escapole de nossas mãos como se evaporasse num piscar de olhos. Ele é a nossa busca infinita, objetivo e sonho. É o amor. Da forma mais pura que pode existir. Amor dado de coração e alma. Amor que não se pede de volta, amor que é entregue. Eu ainda não achei, e você provavelmente também não. Só que ele chega, ah, chega sim. A hora preferida do amor é não ter hora alguma. Ele não tem compromisso, pode se atrasar ou se adiantar muito. Depende das escolhas que fizermos e dos caminhos que tomarmos. E quer saber? Não tenho pressa alguma de encontrá-lo. Cansei de procurar amor em cada esquina, em cada olhar, em cada pessoa que passa pela minha vida.

Eu sempre fui uma garota-contos-de-fada. Gosto de chamar de garota-contos-de-fadas todas aquelas que acreditam no melhor das pessoas. Não que eu creia em príncipes, unicórnios e muito menos em "felizes para sempre" (por mais que eu queira que tudo isso exista!). Mas eu gosto de ver o melhor que cada pessoa tem dentro de si. E isso me fez esperar demais de rapazes que não me davam tudo o que eu queria, tudo o que eu esperava, sonhava e imaginava.

Ah, essa minha imaginação um dia ainda me mata.

A história começava sempre da mesma forma: eu conhecia alguém e, na minha cabeça, todo aquele contexto do nosso primeiro encontro parecia cena de filme.

Meu primeiro beijo foi encostada no carrossel de um parque de diversões, poxa, quer mais romântico que isso? Foi lindo, foi perfeito. Esse primeiro beijo foi também com meu primeiro "amor". Ele era um garoto que eu conhecia desde pequena. Todas as vezes que nos encontrávamos ficávamos nos olhando, admirados. Era um sentimento que eu não conseguia explicar, só sabia que queria mais, cada vez mais. Em todos os lugares que ia procurava o olhar dele, e quando ele correspondia era como se meu coração explodisse, queimasse, ardesse. No dia em que finalmente nos beijamos, eu juro que pude sentir o mundo parar. Era como se nada mais importasse, só eu, ele e aquele carrossel que fazia a figuração da cena perfeita. Pude sentir pela primeira vez como era viver em um filme. Então, me perdoe se acabei me tornando uma viciada em imaginar situações ideais; é que, pra mim, tudo isso sempre existiu.

Isso tem a ver com algo que minha mãe me disse uma vez e que muito me surpreendeu. Primeiro ela perguntou: "Isabela, sabe uma frase sua que escutei por toda a minha vida?", e eu, sem reação, respondi que "não" e pedi que ela me dissesse. Daí ela falou: "Toda vez que você conhece alguém e vem me contar sobre ele diz que ele é perfeito pra você. Que agora, sim, você achou a pessoa que tanto procurava. *Todos*, Isabela. Você disse isso de *todos*".

Foi então que eu notei. Realmente, eu sempre arrumava motivos e qualidades para me convencer de que o atual relacionamento era, sim, melhor do que o anterior e que era tudo o que eu esperava pra minha vida. Culpa de quê? Sim, de sempre ver o melhor das pessoas. Talvez tenha sido por isso que me afundei anos e anos em namoricos sem qualquer futuro, tentei me agarrar a pessoas que nada tinham a ver comigo, tentei amar onde não existia amor algum. Veja bem, eu lutava até minhas forças se esgotarem, porque eu sempre quis que fosse exatamente da forma como havia idealizado. Besteira. Esse tipo de coisa não pode ser planejado, projetado, combinado. Isso simplesmente existe, se desenrola, cresce, toma conta do ser. Para tal, precisamos conseguir nos soltar das amarras que nos prendem. E sabe o que nos deixa de mãos atadas? Expectativas.

O clichê é compreensível e deve ser levado em conta. Quem muito espera se decepciona. Todos os dias repito para mim mesma quando acordo: "Não espere nada do dia de hoje".

Só que isso é quase impossível, porque já acordo checando minhas mensagens para ver se recebi algum "bom dia". Ou meus e-mails, pra saber se pintou alguma novidade. Entro no Facebook esperando que algum amigo tenha me convidado para uma festa daquelas. Está vendo como é difícil viver sem esperar nada dos outros? Passamos a nossa vida esperando que as pessoas ajam conforme o esperado. E isso cansa, sabia? Não digo só no quesito amor, mas também em relação às amizades. Quem nunca teve um amigo que o decepcionou da pior forma possível? Eu tive alguns.

Eu tinha uma amiga daquelas de infância, carne e unha mesmo. Estudamos juntas, demos o primeiro beijo mais ou menos na mesma época e planejávamos ser vizinhas de porta até o fim dos nossos dias. Pois bem, o que eu fiz por essa amiga não está no gibi (e nem neste livro, ela não merece). E, adivinhe só, assim que ela arrumou um "namoradinho" virou as costas para mim. Desse jeito e com toda essa frieza que você deve estar imaginando. Como quem não se lembrasse de nada do que vivemos. Como se eu nunca tivesse significado coisa alguma para ela. Como se fosse fácil esquecer tudo o que enfrentamos juntas e fizemos uma pela outra.

"Acho que nossa amizade não cabe mais na minha vida." Oi? Eu não esperava nada disso, quero dizer, eu esperava mais dela. Bem mais. Eu esperava mais maturidade, mais consideração, mais amor. E eu não recebi nenhuma dessas coisas. Talvez tenha sido culpa minha ter esperado tanto de alguém que não tinha nada a me oferecer. Mas é que a gente não consegue segurar essa mania de colocar expectativas em cima das pessoas.

    Sempre empurramos a culpa pro outro, e quantas vezes você já ouviu uma amiga dizer: "Poxa vida, ele me decepcionou. Achei que fosse durar para sempre!". É. A verdade é que essa amiga inventava coisas que nunca existiram, pois, na maioria dos casos, em momento algum há promessas de eternidade por parte do outro. É complicado, sei disso. Quantas vezes eu já não disse pra minha mãe que achei o cara certo? Inúmeras! Tantas que ela nem me leva mais a sério. Acho que o dia em que eu realmente encontrar a pessoa certa e for contar pra minha mãe ela vai dizer: "Mais um? Duvido". Duvide mesmo, mamãe. Eu não canso de me enganar.

    E a época em que eu me convenci de que estava apaixonada pela primeira vez? Ah! Eu sempre me apaixono pela primeira vez. Essa é uma coisa que faço muito, entende? Me "apaixonar". Contei a todos os meus amigos que, finalmente, tinha achado o cara certo pra mim. Este sim, repetia. Este sim era tudo aquilo que eu esperava de alguém. Ele gostava de música, literatura, artes, games, e se sentava a meu lado nas aulas de Química. Era tímido, tranquilo, reservado e gostava de uma boa conversa. Tinha tantos atributos, na minha concepção, perfeitos, que nem me liguei nos defeitos. Aliás, que defeitos? Ele não tinha defeito algum. Eu estava apaixonada. Era chegada a minha hora de viver um conto de fadas, um amor de tirar o fôlego, o filme da minha vida. Saímos uma, duas, três vezes. Esperei pela quarta. E esperei. E fui atrás dele. E escutei desculpas seguidas de desculpas. No início até tentei me convencer de que ele realmente devia estar bem ocupado. Ou de que ele realmente estava com aquela doença louca, acho que gripe aviária. Mas, no fim, percebi que nós não éramos nada mais do que uma simples "ficada". Foi legal, que bom, passou. Hora de desencanar, menina. Essa minha paixão durou menos de duas semanas, e eu me desiludi da mesma forma que achei que tinha me apaixonado. Mais um pra listinha de decepções.

Entende agora por que terminar e começar relacionamentos é algo essencial na vida de qualquer pessoa? É sobre isso que falam os livros, as músicas, os filmes. É sobre isso que conversamos com os amigos. O amor é, sim, a causa e a solução de todos os problemas. Mas, durante boa parte de nossa vida, só nos traz problemas, problemas que parecem impossíveis de serem solucionados, problemas que nos deixam de cabelo em pé e com vontade de gritar tão alto a ponto de fazer explodir o mundo. O amor cria obstáculos, buracos e armadilhas por todo o caminho. A gente só não pode desistir. Temos que aprender a rir da própria desgraça e a encontrar felicidade até nas decepções. Acredite, você não está nessa sozinho. A vida de todos nós é uma batalha incansável contra a solidão. Porque solidão não é estar solteiro, é se sentir deslocado, mesmo acompanhado. Solidão é viver um amor que não existe mais. É se agarrar ao passado que já evaporou.

    E, para deixar isso tudo para trás, você precisa saber mais sobre desapego.

Saudade de quando eu tinha inimigas. Hoje me lixo tanto pra opinião dos outros que nem inimiga sobrou

Isabela Freitas / @IsabelaaFreitas

CAPÍTULO 2

Desapego não é desamor

Acho engraçado que toda vez que falo sobre desapego em uma roda de amigos todos me olham assustados. Espantados. Diria até que aterrorizados. É como se eu dissesse em voz alta que matei alguém e preciso de um lugar para esconder o corpo. Melhor ainda é quando as pessoas tentam me dar uma rasteira e perguntam: "Ué, mas você não namorou a vida inteira? Desapego? Você?". Sinceramente, quando escuto uma pergunta dessas, tenho vontade de me levantar da mesa e ir embora. É como se sentisse que essa pessoa não tem intelecto suficiente para conversar comigo. Mas tudo bem... respire, conte até dez. E aí explique. Ou pelo menos tente.

De uma vez por todas, esqueçam esse "pré-conceito" de desapego. Desapego não é sair todos os dias, frequentar todas as baladas da cidade, ficar com todos os garotos que aparecem na frente e, em seguida, dizer: "Pego e não me apego". Aliás, amaldiçoo mentalmente todos os dias a pessoa que criou essa frase. Pega e não se apega? Isso é justificativa pra vulgaridade, desculpe-me.

O desapego é muito mais do que leiloar seu amor (ou outra coisa) por aí. O desapego é saber se desprender de tudo aquilo que te retém, faz mal e sufoca. O desapego é sempre um desafio pra mim, aliás, acredito que pra todos.

A propósito, conselhos sempre parecem mais fáceis quando dados a outra pessoa. Digo isso por experiência própria. Eu, que sempre tenho um conselho na ponta da língua, me vejo em apuros quando preciso aplicá-los na minha vida. Acontece.

Fato é que demorei a descobrir o porquê de ter tido — e mantido — tantos relacionamentos rasos e sem sentido algum. Eu simplesmente não entendo como pude ser tão estúpida a ponto de acreditar em pessoas que em nenhum momento me deram motivos para isso. Para ilustrar, cito a época em que cismei que poderia "transformar" o garoto mais canalha da minha cidade em um príncipe encantado. Qual é? Toda garota já sonhou — ou sonha — transformar um desses. É como se fosse uma realização pessoal, daquelas que dão um prazer ardente no peito quando se concretizam. Ele era canalha, tudo bem, eu sabia disso.

Mas ele dizia que gostava de mim, poxa, vamos dar um crédito? E se for verdade? Peraí, acho que vi os olhos dele brilhar enquanto falava sobre mim. Ei, ele me apresentou aos pais! Olha! Ele me convidou para o churrasco dos amigos...

Tolice. Enquanto eu tentava me convencer de que ele gostava mesmo de mim, as pessoas me alertavam sobre as inúmeras traições, e cada dia que passava eu descobria mentiras que ele insistia em contar com um sorriso no rosto — ai, por sinal, maravilhoso. Era como se eu estivesse enfeitiçada, sabe? Eu sabia que ele não valia nem um vestido novo que eu comprava pra sair com ele. Juro que sabia. Mas eu gostava daquela sensação de, pela primeira vez, não ter alguém nas minhas mãos. E isso inexplicavelmente me fazia querer cada vez mais. Ele se tornara um vício, uma droga, obsessão. Hoje posso dizer que foram os quatro meses mais insanos da minha vida; era um misto de paixão, loucura, ódio e, em meio a tudo isso, amizade. É inacreditável que tenhamos nos tornado bons amigos.

No fim — que não era fim porque sequer existiu um começo —, percebemos que éramos necessários na vida um do outro. Porque, apesar de não termos tido um lance bem-sucedido, aprendemos bastante. Ele, por exemplo, aprendeu que o problema não estava nas outras pessoas, e sim nele, que não conseguia sentir empatia por ninguém, nem por mim, a única garota que o havia "segurado" por algum tempo.

É com orgulho que digo quanto mudei a vida desse rapaz. Depois que terminamos, ele decidiu que devia procurar terapia e se tratar. Resultado? Acabou descobrindo que guardava dentro de si um trauma de infância que o atrapalhava no trato com as mulheres. Quando ele ainda era muito novinho, percebeu que a mãe vivia tendo casos fora do casamento. Apesar de não saber ainda o que exatamente acontecia, tudo ficou tão infernal que, depois, se tornou impossível superar essa questão sem acompanhamento especial. A vida sempre surpreendendo. Eu? Ora, eu aprendi que por mais que um lance curto não tenha sido de todo bom sempre acrescenta algo.

Admiro pessoas que conseguem se desviar de relacionamentos ruins por toda a vida, para, finalmente, encontrar — lá no fim da estrada — aquele único, que vai ser a flecha certeira no seu coração. A minha prima Lara é um exemplo clássico disso. Ela nunca teve um namorado sequer, nunquinha. Nas reuniões de família era sempre questionada.

E aí, Lara, já arrumou um namoradinho? Lara, quando é que você vai trazer um namorado pra família conhecer? É, Lara... vai ficar pra titia, hein? A Isabela já tem namorado, olha lá...

E ela tinha que se explicar, toda tímida, pedir que tivessem calma, que ainda não tinha encontrado ninguém que valesse a pena ser levado a sério e que ficar com alguém só para não ficar sozinha era perda de tempo. Palmas. E alguns tapas na minha cara também, já que eu era a psicopata-louca-dos-namoros, confesso. Eu precisava ter um namorado, tipo, sempre. Se terminava num dia, no outro já tinha uma lista de possíveis pretendentes. *Esse não, muito alto, muito chato, muito metido, opa, esse sim. Por que não tentar? Custa nada.* E eu ia com tudo, de novo. E de novo. E de novo. Que venha mais uma decepção. Que venha mais um que não vai conseguir me impressionar.

Desconfio que esse meu jeito vem de longe, já que comecei a namorar muito cedo. Tive meu primeiro namoradinho aos doze anos; durou dois verões (eu tenho alguma coisa com o número dois, devo ter), mas claro que, naquela época, sentir o tempo passando era totalmente diferente de agora. Então, tudo bem, é mais do que natural que eu tenha adquirido esse medo de "ser sozinha". Qual é? Eu sempre tive alguém a meu lado. Eu não sabia o que era dormir sem uma mensagem de boa-noite, eu não sabia o que era não ouvir um "eu te amo" todos os dias, não sabia o que era sair de casa sem dar satisfações a alguém. Eu não sabia o que era viver. Eu não sabia o que era "eu" sem algum "você". E não fazia questão alguma de arriscar ser diferente. Tão mais fácil ser dois. Tão mais fácil andar de mãos dadas. Tão reconfortante ter a certeza de alguém a seu lado sempre, mesmo que esse alguém não seja bem aquilo que você precisa. Besteira.

Medo de ficar sozinha, um mal que assola boa parte das pessoas nos dias de hoje. É como se nascêssemos com um único propósito: encontrar alguém. Alguém? Assim? Aleatório? Qualquer um? Bom, é claro que não. Mas boa parte das pessoas aceita de bom grado o primeiro que aparece em sua vida e logo após se fecha para o mundo e para outras oportunidades, como se nada fosse mais "certo" do que aquilo. Quantas pessoas você conhece que mantêm namoros ruins por medo de "não encontrar alguém melhor"? Aposto que consegue encher as mãos em apenas dois minutos. Eu consigo.

Foi o caso da Ingrid, uma antiga amiga de colégio. Ela conheceu o Bruno quando tinha apenas treze anos, foi seu primeiro e — até então — único amor. O problema é que as pessoas mudam, crescem, pintam os cabelos, engordam, se vestem de forma diferente e, ora, isso é completamente normal. Assim, o Bruno que a Ingrid havia conhecido uns anos atrás não existia mais. O garoto que antes era de família, atencioso, meigo, estudioso e que fazia da namorada seu mundo, desapareceu para dar lugar a um homem que só se importava com aparências, drogas, mulheres (sim, mulheres) e festas regadas a muito álcool. A Ingrid, por outro lado, não mudou nada, nadinha. Continuou a mesma garota simples e sensível que tive o prazer de conhecer quando mais nova. Talvez mais malhada, se vestindo melhor e um pouco menos tímida. No entanto, ainda assim, a mesma Ingrid de sempre. Eu me preocupava com a minha amiga, de verdade. Por isso vivia tocando no assunto proibido.

— Ô, Ingrid, encontrei o Bruno ontem na balada...

Não sei por que eu tinha resolvido estragar aquele almoço com a minha amiga. Mas era mais forte que eu.

— Ah, é? Hum. Ele me avisou... Eu deixei ele ir. E desde quando você vai a baladas, Isabela?

Mentir é uma prática comum entre pessoas que insistem naquilo que já teve fim. Ingrid era *expert* nisso. Em mudar de assunto também.

— Eu vou, ué. De vez em nunca... Que estranho, hein?, porque ele me pediu para não te contar que nos encontramos por lá — insisto.

— Devia ser alguma brincadeira...

Mente descaradamente, como pode? Alô? Sanidade chamando! Será que ela acredita mesmo no que diz?

— Não, não era não. E olha, eu vi ele com uma menina lá. Acho que era aquela Vanessa, da sala dele. Sabe? Não quis ficar olhando muito... Só que achei que precisava te contar.

Sou sincera, quer dizer, nem tanto. Na verdade eu vi o Bruno enfiando a língua dentro da garganta da Vanessa, o que me deixou tão nauseada a ponto de chamar um táxi e ir embora pra casa. Mas, em se tratando da Ingrid, de nada adiantaria dizer a verdade. Parte dela já daria conta do recado.

— Eles são amigos — ela diz, enquanto finge não se importar, analisando o menu pela décima vez.

— Ingrid! — Pego o cardápio da mão dela. — Para com isso. Você está com o Bruno há quantos anos? Oito, não é mesmo? E nesses oito anos em quantos ele te fez feliz? Um! Você precisa parar com essa mania de anular as coisas ruins com as coisas boas que o seu namoro já teve, que, a propósito, nem foram tantas. E daí se ele te deu um buquê de rosas uma vez no Dia dos Namorados? E as traições? E as drogas? E aquela vez em que ele deu em cima da sua *irmã*? Para de se enganar. Ele não gosta de você, pelo menos, não mais. E você merece alguém que te trate igual a uma princesa, não um idiota qualquer que te liga domingo à noite quando precisa de sexo!

Ela me olha como quem não acredita em tudo o que acabou de ouvir. Sinto como se tivesse contado que assaltei um banco ou algo do tipo. Ela está chocada.

— Isabela... não é isso. Quer dizer, é isso... eu não sei, tô confusa demais.

E desaba a chorar. Legal. Eu sou uma ótima amiga mesmo.

— Me desculpa, acho que exagerei. É que eu vejo você se afundando cada vez mais e sei que vou me sentir culpada se ficar só observando, como a maioria das pessoas faz. Por Deus, até sua mãe já me disse que desistiu de tentar te ajudar.

Eu só quero que você perceba isso com seus próprios olhos. Ele não é o único cara do mundo. E eu concordo quando você diz que nunca vai encontrar alguém como ele.

— Jura?

Uma esperança reluz nos olhos dela.

— Juro. Você vai encontrar um melhor, porque pior do que aquele é difícil, viu?

E nós duas rimos muito.

Esse foi um dia marcante na vida da Ingrid. Não só porque a convenci a experimentar um *petit gâteau* pela primeira vez (ela não comia doces), como também porque parece que, finalmente, ela deu um basta em todo aquele fingimento. No fundo, ela sabia que o Bruno não era incrível e muito menos único. Sabia que podia encontrar alguém melhor com um estalar de dedos. E, principalmente, sabia que merecia isso. Ela só tinha medo e, talvez, um pouco de preguiça. Afinal, ser solteira não é nada fácil.

Para meu espanto e surpresa, a Ingrid tirou de letra. Ela era, de fato, uma garota incrível, só precisava arrancar aquele pano que cobria seu espelho e a impedia de ver quão bonita é. Por dentro e por fora. Me lembro que, na época em que ela terminou o namoro, eu já estava namorando o Gustavo (Gustavo é o meu excelentíssimo ex-namorado, aquele do início da história, sabe? É que eu não gosto de falar muito o nome dele) e não pude ajudar como queria. Me preocupei, vai que ela se apaixona por um canalha com blusa da Abercrombie na balada? Mas não, a Ingrid se manteve firme e forte. Ficou seis meses sozinha. Sem ninguém mesmo. Decidiu que precisava de um tempo para ela, e eu concordei. Nada mais justo, visto que ela passou uma vida namorando um imbecil. Depois resolveu fazer um intercâmbio, conheceu um italiano durante a viagem, se apaixonou loucamente e hoje eles são noivos. O italiano era tudo que ela precisava, e ela, bem, a luz dos olhos dele. Foi lindo de ver.

A Ingrid é um caso entre um milhão de outros casos. Pois quantos casamentos não são mantidos por comodidade? Quantos casais não se olham mais nos olhos, mas permanecem juntos por status? Quantas pessoas não estão por aí mendigando amor? Quantas pessoas não mantêm namoros por aparência? Inúmeras. O difícil mesmo é encontrar aquele que não tem medo de ser sozinho. Que não tem medo de si mesmo.

A coragem para ser sozinho é importante para todos nós. E eu, como boa sagitariana (nós, sagitarianas, sofremos do mal de sempre-querer-estar-rodeadas-de-pessoas), morro de medo de ficar sozinha. É assustador demais. E por quê? Por que temos tanto medo de ficar a sós em nossas próprias companhias? A psicologia explica: tudo o que você espera que o outro faça por você quando está em um relacionamento é exatamente o que você não faz por si mesmo. É como se você jogasse a sua felicidade no colo do outro e dissesse: "Toma, agora você é o responsável por ela. Me faça feliz". E é aí que está todo o problema. Você deve primeiro aprender a ter êxito satisfazendo as suas necessidades para depois se relacionar com alguém. Só é feliz a dois quem já é feliz sozinho.

> Quem aí estiver mal por causa de homem sinta-se tomando um tapa na cara
>
> **Isabela Freitas** / @IsabelaaFreitas

CAPÍTULO 3

Mudanças não precisam ser drásticas para significar alguma coisa

É, chega de enrolação. Hora de encarar a vida com a cabeça erguida e aceitar que agora eu estou... sozinha. Sozinha. Solteira. Desquitada. Mal-amada. Qual o problema de ficar sozinha, não é mesmo? Não ligo. Não ligo mesmo. Isso não me incomoda nem um pouco. Sou uma menina-quase-mulher madura, qual é? Tenho 22 anos, finalmente. Vinte e dois anos. Já posso dizer por aí que banco as minhas atitudes e todas as suas consequências (porque elas sempre vêm, ah, vêm).

Sou uma garota normal, normal até demais. Minha pele é alva como uma parede pintada de branco (obrigada pela melanina que vocês não me deram, pais...), os cabelos lisos, escorridos, boi-lambeu, sem graça, que não suportam uma tiara sequer, os olhos castanhos, como eu já disse, são bem normais mesmo, a altura eu ainda tenho esperanças de que aumente, e o meu corpo não é magro, nem gordo, nem malhado. É normal. É, eu até que sou bem normal quando não se trata de relacionamentos.

Fazer 22 anos não me mudou em nada, na verdade, foi um saco. Porque todo ano você pensa que assim que der 0h do dia do seu aniversário tudo vai mudar. De repente, você vai se tornar aquela mulher madura e sedutora que vemos nos filmes, vai impor respeito e olhar pra todo mundo de modo firme e convicto, a aura de mulher moderna se iluminará, todos os garotos vão notar que agora você é decidida, já sabe o que quer... Mas não; 0h01 e você ainda é a mesma garota chorona de quando tinha quinze anos. Ainda é a mesma garota indecisa de horas atrás. Sobre as inseguranças, nem se fala. Você ainda é a mesma.

Uma coisa que me incomoda em mim é a tal da indecisão. Eu nunca sei se estou no caminho certo e, se estou, se quero seguir esse caminho, ou, se não estou, pra onde devo me direcionar e, caso descubra pra onde, se quero mesmo ir. Entende? Eu sei que não. É difícil entender.

Então, sempre que me vejo diante de uma situação ou diante de um provável "romance", acabo dizendo que ele é o "amor da minha vida". Porque vai que dizer atrai, né?

Como aquela vez em que cismei que estava apaixonada pelo meu melhor amigo de infância, o Fernando. Pois é, minha vida sempre foi um clichê, do começo ao fim. Não que ela tenha chegado ao fim, bem, você entendeu. É que meu melhor amigo de repente esticou, começou a malhar e — foco — teve os primeiros pelos de barba crescendo por todo o rosto. E o que isso tem a ver com minha paixão repentina? Não é óbvio? O cara já era meu melhor amigo, já tinha me visto de pijama de flanela, acordando de cara amassada, e ainda assim não tinha fugido pra bem longe. Sem contar que eu bem reparava que todas as vezes que saíamos juntos ele me lançava olhares nervosos e tímidos. Como se esperasse encontrar olhares apreensivos em troca. Era ó-b-v-i-o que ele era o amor da minha vida. Eu sabia, *sabia*. Esse lance de se apaixonar pelo melhor amigo não era coisa de filme, estava acontecendo comigo. *Ai, que lindo!* Não era lindo? Na próxima festa de quinze anos, ele me tiraria para dançar ao som de "Iris", do Goo Goo Dolls, dançaríamos coladinhos e, antes do fim da música, ele me beijaria.

Os acontecimentos que viriam em seguida estavam claros em minha mente: namoraríamos, eu seria a melhor amiga da irmã mais velha dele (já estava trabalhando nisso), conquistaria seus dois *poodles* antipáticos (juro que me esforçaria, talvez levasse uns biscoitinhos caninos de vez em quando), faria com que minha mãe acreditasse que ele, sim, era meu príncipe e ele se tornaria o melhor amigo do meu pai, arrisco dizer que jogariam futebol juntos e assistiriam aos jogos do Flamengo no Maracanã, lado a lado. Mesmo que meu melhor amigo fosse vascaíno doente. Quem ligaria? Ele ainda podia mudar de time. Sim, sim, estava escrito. No *Filme da Isabela* esse era o desfecho, o momento crucial, o ponto de partida de uma linda história de amor.

Até que, um belo dia, tivemos nosso primeiro beijo (eu disse belo? Foi horrível), que não foi ao som de "Iris" coisa nenhuma, foi na escada de emergência do prédio do Fernando, ao som de pedreiros batendo martelo no edifício ao lado. E não, não foi mágico, eu não vi passarinhos voando e, só para constar na ata, ele beijava mal demais. O safado ainda arriscou passar a mão na minha bunda, onde já se viu isso? Cadê o romantismo? Cadê o respeito? Cadê a magia? E, bem, mais uma vez o *Filme da Isabela* estava com o roteiro errado. (Eu já expliquei o que significa *Filme da Isabela*? Não? Ah, é o nome que alguns amigos deram para minha vida. Acredita? Não que minha vida seja parecida com a de um filme, porque não é, NÃO MESMO, mas tenho amigos que zoam assim da minha cara. Nem eu acredito.)

— E então, Isa, terminou mais um namoro? — Pedro puxa o assunto proibido.

Sempre o Pedro, inconveniente. Estávamos na praça de alimentação do shopping Metrópole e, enquanto ele esperava a senha pra ir buscar seu sanduíche, resolveu matar o tempo me enchendo o saco. Claro, por que não? Nesse dia, estava um sol tão bonito que eu quis dar um passeio, rever alguns amigos e, quem sabe, conhecer uns rostinhos novos. Era pra ser um dia feliz e tranquilo, porém, foi só eu colocar os pés na rua pra alguém começar a me irritar.

E olha que o Pedro Miller é o meu melhor amigo. A gente se conhece há quatro anos. Ele também tem 22, como eu. Os cabelos, cuidadosamente despenteados e rebeldes, fazem um conjunto perfeito com a barba malfeita. Os olhos azuis sempre parecem tristes, e eu nunca sei direito o motivo. Ele é malicioso e descarado, faz um daqueles tipos que você olha de primeira e já sabe que vai ser conquistada com um sorriso branco. Não eu, claro, mas as meninas bobinhas de que o Pedro gosta de dar em cima. Ah, gosta muito.

— Há-há. Muito engraçado — retruco e finjo dar um gole no meu suco de laranja, embora o copo já esteja vazio.

— Fala aí, conta pra gente como é que foi desperdiçar mais dois anos da sua vida tentando transformar um babaca em príncipe encantado...

O Pedro tinha o dom de enfiar o dedo na ferida. Não apenas enfiar, mas só tirar o dedo de lá quando sangrasse bastante. Belo amigo o meu, belíssimo.

— Olha, Pedro, foi muito legal. Avancei muito nesse ponto, se é isso que você quer saber. E ele não é babaca — respondo, revirando os olhos e exalando cinismo.

Por que as pessoas insistem em falar de relacionamentos o tempo todo? Será que não podem superar o vício de focar nesse assunto? É sempre assim. Você começa a sair com uma pessoa e, em pouco tempo, já está farta de perguntas como: "E aí? Como vocês estão? Ele beija bem? Está apaixonada? Quando vão assumir?". Você termina e tem que aguentar os "você tá bem? Ele te procurou? Tem te mandado mensagens? Será que já está com outra?". Que saco! Tudo bem que eu também adoro falar sobre isso, *eu vivo falando de relacionamentos*, no entanto sei respeitar o espaço dos outros. Ou pelo menos acho que sei.

Como se estivesse lendo meus pensamentos, Pedro completa:

— Tô brincando, bobona. Você se irrita muito fácil. Eu sempre te falei desde que você conheceu o Gustavo que ele não era o cara pra você — diz, enquanto olha para os lados, apreensivo.

Ele devia estar com medo de encontrar alguma de suas ficantes loucas por ali.

— Tá, Pedro, eu não preciso que você jogue pela milésima vez na minha cara tudo aquilo que eu já sei de cor e salteado.

Não tem necessidade. E, faz um favorzinho, quando você for lá pegar o seu sanduíche, pede mais um suco pra mim porque hoje tá fazendo um calor que vou te contar...

— Vai com calma, princesa. No *Filme da Isabela* só pode tomar UM suco... não dois — zomba.

Recomeçara o teste de paciência.

— Que dia vocês vão parar com essa bobeira de *Filme da Isabela*? Sério! Já cansou. Nem tem graça — digo, fazendo força para não parecer afetada demais.

Não faça beicinho, não faça beicinho. Às vezes me esqueço de ser adulta, quer dizer, esqueço de tentar parecer adulta. Porque de adulta, olha, eu não tenho é nada.

— Ah... É engraçado te ver estressadinha com isso — se mete a Amanda.

Amanda Akira é minha melhor amiga. É filha de mãe brasileira e pai japonês. A mais nova da turma, 21 anos, porém a mais inteligente. Era ela a responsável pelas nossas notas altas na Faculdade de Direito (que minha mãe nunca saiba disso!). Tem os cabelos pretos, compridos e lisos. Os olhos repuxados parecem sempre sorrir para você. Adora games, animes, e gosta de se vestir com blusas de bandas que só ela curte. Hoje, em particular, a blusa era do Ratos de Porão.

Nós três, certamente, éramos o grupo mais improvável de todos. Pedro, o superpopular, garanhão, bonito e desleixado, sonho de todas as garotas. Amanda, a japonesa nerd, com seus óculos de fundo de garrafa. E eu, bem, eu era aquela loirinha estranha que estava sempre se dando mal quando o assunto era amor, porém, por algum motivo, ainda acreditava em finais felizes.

— Até você, Amanda? Que saco! Eu nem me lembro do dia em que falei sobre isso com vocês — digo, tentando disfarçar o fato de que, *sim*, eu me lembro muito bem de tudo que falo aos meus dois melhores amigos.

— Não se lembra do que disse pra gente naquele dia do sítio? Que sua vida era um filme? Eu lembro muito bem. Quer que te conte mais uma vez? — implica Pedro.

Ai, Pedro, por que insisto em ser sua amiga? Juro que se eu não estivesse morrendo de sede, teria desfeito a amizade ali mesmo.

— Não precisa, já lembrei.

— Agora é que eu vou contar mesmo...

E mais uma vez ele passou longos e lentos minutos discorrendo sobre o dia em fiquei podre de bêbada. Eu já disse que não bebo? Então, eu não bebo. Pelo menos não com frequência. Só coloco álcool na boca quando tem um evento muito importante, seja bom ou ruim. Aconteceu que, num certo final de semana, nós três viajamos pro sítio da família da Amanda. Tínhamos acabado de terminar o sétimo período da faculdade, e eu juro que ia ficar louca se visse mais uma apostila de Processo Civil na minha frente. Eu estava há um mês sem conseguir dormir direito de tanta ansiedade; deitava na cama, revirava, sonhava que tinha sido reprovada, que nunca conseguiria passar; depois, que estava desempregada, com quatro filhos pra cuidar, um marido que batia em mim e, claro, sem um diploma universitário.

Depois que fizemos a última prova, a minha rotina era basicamente acordar, entrar no site da universidade, deparar-me com um belo "nada ainda" e voltar a dormir. Eu gosto de dormir para fugir dos problemas, sabe? Já estava ficando insuportável lidar com tanta ansiedade quando, finalmente, saiu a nota, e lá estava eu! Passando exatamente com a nota que eu precisava. Ufa! Obrigada, Deus; obrigada, mãe; obrigada, Amanda, pela cola de cada dia. Eu não sei o que seria de mim se eu fosse reprovada naquela matéria, ela era simplesmente terrível. Porém, todas aquelas noites maldormidas valeram mesmo a pena e eu estava muito satisfeita com o meu sete. Por isso, assim que a Amanda me ligou convidando para passar dois dias relaxantes no sítio dela, não tive dúvidas, topei de cara. Tomei um banho, passei um corretivo para disfarçar as enormes olheiras, joguei o guarda-roupa inteiro na mala e parti em direção a um final de semana que deveria ser de descanso.

Deveria. Já que o Pedro teve a bela ideia de levar *algumas* garrafas de tequila, tequila esta que me fez confessar, em voz alta, todas as coisas que eu sempre guardei só pra mim. Resumindo? Eu abri o coração para meus dois melhores amigos da forma mais ingênua, boba e embriagada possível. Bêbada de sono, bêbada de ilusão, bêbada de amor. Isso aconteceu uns dias após eu surtar e terminar de vez meu namoro com o Gustavo.

Já era noite e estávamos sentados no gramado. Havia lua cheia e, não sei por que, eu amo noites de lua cheia. O Pedro havia acendido uma fogueira e nós estávamos tentando cozinhar uns *marshmallows* no fogo, que mal ficava aceso com o vento que insistia em bater. Essa reta final da faculdade estava deixando todo mundo maluco. Um sufoco. Não levou muito tempo e começamos um papo quente sobre quem estava pegando quem e, até aí, nenhuma novidade. O Pedro sempre tinha umas quatro ficantes fixas, isso era meio que o mínimo pra ele. A Amanda tinha o seu namorado perfeito, o Victor. O Fabinho da nossa sala finalmente declarara seu amor pela Juliana, e eles estavam ficando havia umas semanas. E eu, com mais um relacionamento terminado. E tudo ia bem, ia muito bem.

O Pedro não parava de me empurrar *shots* de tequila — "Pela prova de Processo Civil!"; "Pelo Gustavo, que deve estar chorando neste momento!"; "Pela mensagem da Gabriela que eu nem respondi!...". E, quando vimos, já haviam sido várias homenagens e nós estávamos na segunda garrafa. Começamos a contar histórias de ex-ficantes, e saía tanta bizarrice que, sinceramente, eu não sabia mais qual era o problema do mundo.

— Gente, por que eu não consigo ser feliz? Pedro, você que é homem, me fala qual é o meu problema?

— Não tem problema nenhum, Isa. Você é uma garota normal, só que fez algumas escolhas erradas. No seu caso, olha, eu diria que você escolheu as pessoas erradas — ele tenta me acalmar, só que sempre dando uma provocadinha.

— Não, Pedro. É sério. Fala a verdade, pode falar. Eu sou uma namorada ruim? Quer dizer, não que você tenha me namorado, mas você acha que eu seria uma namorada, sei lá, chata, insuportável? Eu tenho bafo? Nossa Senhora! Será que eu tenho BAFO?

— Cala a boca, Isabela, pelo amor de Deus... — diz Amanda, em meio a mais uma gargalhada frenética. — Você só arruma idiota. É por isso. Parece que faz de propósito.

— Faço nada.

Ou será que fazia?

— O que explica então você aos quinze anos ter namorado um garoto que parecia o *cover* do Bob Marley? Por Deus, Isabela, ele tinha DREAD no cabelo. E você nem gosta de reggae. Aquele ali estava longe de ser o cara pra você.

A Amanda sempre estava certa. Como pode isso? Preciso me lembrar de nunca perder a amizade dessa japa, nunca mesmo. Ela sempre me aponta o caminho certo, não que eu seja uma pessoa que goste de escutar conselhos. Porque não gosto. Mas é bom saber que a voz da sabedoria é sua melhor amiga.

— Ele era legal e me fazia rir... Eu gostava dele.

Depois que disse isso em voz alta me achei meio abobalhada. Me fazia rir? Quer dizer que para me namorar o cara precisava me fazer rir? Era *só* isso? Bem, isso pelo menos justificava o fato de eu só ter me relacionado com palhaços. Há-há-há. Fazer piada com a minha própria vida, um hobby.

— Eu sou legal e te faço rir. Mas isso não faz de mim o cara ideal para você — se mete Pedro.

Não sei por quê, tive a impressão de que ele duvidava do que dizia. Em contrapartida, eu estava tonta demais para perceber o que quer que fosse.

— Verdade. Até porque eu não suportaria essa sua mania de vidente e de sempre dar uma de sabichão sobre o que se passa aqui dentro. Ou, pelo menos, achar que sabe o que tá acontecendo... — digo, com a voz esganiçada, gesticulando muito. — Você não sabe de nada.

Enquanto a Amanda era a voz da sabedoria, o Pedro parecia desvendar sempre o que eu tentava esconder. Mesmo o que eu não admitia em voz alta ele simplesmente sabia. E isso me assustava, não porque o Pedro tivesse alguma influência desenfreada sobre minha intimidade, ou sei lá o quê, e sim por causa da sua estranha capacidade de enxergar o que eu estava pensando; ele sabia, sabe-se lá como, que eu não era tão firme quanto aparentava — e tentava — ser.

— Isa, eu te conheço mais do que você pensa. Quer ouvir algo sobre você que vai te deixar de cara?

— Ih, olha ele! Hum... Você tem uma chance. Vamos lá, manda ver.

— Você só se relaciona com caras "errados" porque tem medo de encontrar o cara certo. Você tem medo de se apaixonar, no nível de se perder completamente, e tem mais medo ainda de gostar disso. Você se entrega de corpo e alma a casinhos que você mesma sabe que são impossíveis, você gosta da sensação de tentar o impossível. E então você fracassa, dá mil motivos para reclamar da vida. Coisa que você também gosta, e muito, de fazer — ele suspira e continua. — Você não é tão forte como gostaria de ser, e eu sei muito bem disso. Todo esse lance de começar e terminar te consome aos poucos. E você só quer um pouco de paz... Mas tem medo, muito medo disso...

— Nossa, cala a boca, Pedro — começo a falar. — Não tem nada a ver... Eu... Medo... de ser feliz? Há-há.

Ele me encara como quem insiste dizendo: "Tem certeza?". Não sei se é seu olhar de piedade, ou o meu coração pedindo para gritar, mas resolvo falar de uma só vez.

— Ah, quer saber? Você tá certo, Pedro. Eu sou o motivo da minha própria infelicidade, claro que sou. Sou mesmo. Além de tudo isso eu sou uma louca, lunática, daquelas que se autossabota só pelo prazer de sofrer mais um pouquinho. Eu amo sentir dor. Eu amo me decepcionar. E eu morro de medo de encontrar alguém que não me faça sentir assim. Porque com a dor eu já sei lidar, mas e com a felicidade? E quando finalmente eu a encontrar? O que fazer com ela?

— Isa... — ele tenta me interromper.

— A verdade é que não é bem assim, eu quero desesperadamente encontrar alguém que mereça ver todo o lado bom que eu escondo só para mim. Essa casca de mulher forte, que supera rápido, e que não está nem aí para rompimentos? Tudo teatro. Eu sou frágil. Muito frágil. E eu só queria que minha vida fosse um pouquinho como nos filmes, para que eu não precisasse me quebrar em mil pedacinhos e ter um trabalhão para construir tudo de novo.

E caio no choro. Pronto. Sem motivo aparente nem música sentimental de fundo. As lágrimas não escolheram o melhor momento pra cair, afinal, elas nunca escolhem. Abri o maior berreiro em meio aos abraços da Amanda e os olhares assustados — ou melhor, culpados — que o Pedro me lançava. Assim que recuperei o fôlego, danei a tagarelar, discorri por meia hora sobre como gostaria que minha vida fosse linda como um filme. Que eu só queria encontrar um cara que me entendesse, que me tratasse como eu imaginava que merecia ser tratada. Eu disse em voz alta, por Deus, EM VOZ ALTA, que meu sonho era me apaixonar loucamente por alguém. Que eu planejava todo santo dia o instante em que iria encontrar aquele cara que faria meu coração se incendiar até não restar nem mais uma cinza para contar história. Contei sobre meus planos de me casar ao som de "Hallelujah", na praia, tendo ao fundo o pôr do sol. Eu contei tudo, tudinho. Todas aquelas besteiras que nós, pobres garotas, tentamos esconder do mundo inteiro. Mas, tudo bem, eles eram meus melhores amigos, então que mal poderia sair dessa minha confissão? Se eu soubesse que depois disso se criaria a expressão *Filme da Isabela*, juro que não teria bebido tequila alguma. A culpa era da tequila, claro que era.

O álcool nos faz delirar, nota mental.

— Tá legal, Pedro. Muito engraçado, quer uma salva de palmas? — pergunto, quando ele termina de contar a história, em meio às gargalhadas da Amanda.

Eu até que achava a história engraçada, porém não daria o braço a torcer.

— Só se estiverem no roteiro do seu filme. Me diz, os aplausos estão no roteiro? — ele ironiza.

— Tão sim, assim como a ligação que eu vou fazer agorinha pra sua "namorada" contando sobre a Renatinha do segundo andar, caso você não pare com essa implicância desnecessária com a minha pessoa neste exato minuto — declaro, enquanto enfatizo as aspas no "namorada".

É que o Pedro sempre tem aquela garota que é a oficial do momento, aquela que ele apresenta pros amigos e quem sabe até para a família. O que não quer dizer que ele deixe de se encontrar com outras, ah, não, não. Isso nunca.

Espio com o canto dos olhos e Amanda se delicia com o comentário.

— Opa, pegou pesado — ela grita, levantando o copo e brindando sozinha. — Essa eu quero ver!

— Parou, parou, parou... — Pedro resmunga entredentes, tentando em vão tirar o celular das minhas mãos. — Agora é sério, branquela, é normal não saber o que se quer da vida aos vinte e poucos anos. Eu também não sei, mas não tenho pressa nenhuma em descobrir. Você é que tem essa mania de querer tudo rápido demais... Deixa acontecer. Porque um dia acontece. Vai por mim.

É verdade. O Pedro tinha razão, e eu sabia disso. Eu não sei o que quero ou espero da vida. Sinto-me como se estivesse sempre perdida, cega, e sem saber que direção seguir. Qualquer pessoa que me dê a mão e me guie por alguns passos já se torna meu anjo-protetor-obrigada-por-me-salvar. Isso justifica a constante troca de namorados que acontece na minha vida. Também explica o fato de eu idealizar o príncipe encantado até no padeiro da padaria próxima. Eu procuro desesperadamente pelo amor, sem saber que o amor não vem para quem procura. O amor só vem para quem já o encontrou. É. O amor-próprio, ele mesmo. Aquele amor que está em falta nas lojas de todo o país. Do mundo. Talvez até do universo.

Então, qual o problema de terminar mais um namoro? Eu deveria ser uma mulher que sabe encarar as consequências das decisões. Tudo bem que encarar as consequências se tornaria mais fácil se eu tivesse alguém do meu lado me dizendo que sou linda, que tudo vai ficar bem e... não. Para com isso, Isabela. *Pelo menos uma vez na vida você precisa parar com essa mania de substituir os vazios do coração com qualquer um que aparece.* Coragem, não deve ser tão difícil assim. Por que temos tanto medo de ficar sozinhos? Essa pergunta não saía da minha cabeça.

Voltei pra casa desolada. O que estava acontecendo? Eu tinha que dar um jeito de me sentir melhor nessa nova fase, precisava mudar (o cabelo não, NUNCA), e isso estava me parecendo uma missão mais difícil do que eu imaginava quando começara a amadurecer a ideia de dar um fim no Gustavo. Não acreditava que estava sendo tão cobrada por mim mesma, pelas minhas próprias atitudes.

Era quarta-feira. Quando acordei, nem olhei pro celular. Checar as mensagens nunca me pareceu tão monótono. Não tinha nada. Nada. Nenhuma mensagem importante, *nenhuminha*. Só uma amiga perguntando:

QUAL A BOA DE HOJE? :D

Isso é tipo um código dos solteiros? Um cumprimento descolado? Algo que as pessoas solteiras dizem quando o fim de semana começa a aparecer no fim da estrada? Hoje era quarta-feira, como assim a "boa de hoje"? Hoje era dia de estudar, malhar e dormir. Já disse quanto eu amo dormir? Não entendo como os solteiros conseguem ter animação para sair em uma quarta-feira. Bem, por via das dúvidas, respondi: "Não sei, me diga você". Será que fui descolada o bastante? Des-co-la-da. Até o meu vocabulário parece de uma avó de sessenta anos. Preciso melhorar isso também. Epa, celular tocando. Era a Marina, minha-amiga-que-tá-solteira-há-seis-anos-e-tá-quase-morrendo-de-felicidade-que-agora-eu-estou-solteira-igual-a-ela.

— Oi, amiga! Animada pra hoje? — diz, efusivamente, do outro lado da linha.

Eu já mencionei que ela é sempre muito pra cima? Pois é.

— O que tem hoje? Hã... Eu tava pensando em ficar em casa, dar uma adiantada nas matérias e...

— Tá louca?! Hoje é dia de sertanejo universitário lá naquele galpão perto da faculdade. B-o-m-b-a, menina. Você precisar ir! Pre-ci-sa.

Ela adora falar pausadamente para dar ênfase nas palavras que considera mais importantes. Uma peça rara.

— Hum, eu não gosto de sertanejo universitário. Você sabe.

Eu realmente odiava esse novo estilo musical que tocava em todo lugar.

— E daí? Eu também não gosto. Mas vai estar cheio de gatos! E o Evandro vai estar lá!

Eu deveria saber quem é Evandro. Sinto isso.

— Evandro, quem?! — pergunto.

— Ai, amiga, você vive no mundo da lua. O Evandro, *aquele* gatíssimo da minha academia que eu disse que estava louco pra te conhecer — esclarece.

— Ah, esse. Verdade — digo, meio decepcionada.

Minha vontade era dizer a ela que eu não queria conhecer Evandro nenhum, quem esse cara pensava que era? Ele queria me conhecer? Quem disse que eu queria conhecê-lo? Assim que uma pessoa fica solteira ela é exposta como se estivesse em uma vitrine. *Aproveitem! Aproveitem! Terminou o namoro semana passada!* É como se fosse um produto novo no mercado, aquele celular de última geração que ninguém tem ainda. Ficar solteira de uma hora para a outra é como ser a novata em um colégio. Já repararam que as novatas sempre ganham atenção especial? Elas sempre serão mais bonitas, mais interessantes e mais namoráveis que as garotas que sempre estiveram por ali. Claro, isso por um tempo determinado. Até aparecerem outras novatas. É a mesma coisa com as solteiras.

— Amiga? Tá na linha ainda? — escuto a voz da Marina interrompendo meus pensamentos.

— Oi, desculpa. Tô sim. Então... Err... combinado, te encontro lá às nove?

— Yay! Combinado!

Não sei por que aceitei ir a essa festa, eu sabia que não ia gostar. Mas eu precisava mesmo de uma distração, não aguentava mais encarar o olhar de piedade da minha mãe. Acontece que, diferentemente de mim, minha mãe é muito conservadora. É o tipo da mulher que insiste no que acredita ser o certo, e mesmo quando descobre que não é o certo insiste, pois tem medo de grandes mudanças. Deve ser por isso que moramos na mesma casa desde que me entendo por gente. Lembro-me de que convencê-la de que pintar as unhas de vermelho era algo bonito foi um sacrifício. Só pintava as unhas de branco. Brincos grandes e brilhantes? Não, sempre discretos. É, minha mãe é mesmo uma mulher discreta. Daquelas que sorriem com a mão na boca, sempre mantêm a elegância ao discutir com alguém, e nunca, repito, nunca parecem estar com um fio de cabelo fora do lugar. Sua vida é organizada em horários que ela cumpre pontualmente, e ela nunca ousa sair do planejado.

  Planejamento, horários, metas. Será que teria como eu ser um pouquinho mais oposta à minha mãe? Sou inconsequente, não sei lidar com hora marcada (exceto em encontros) e adoro me surpreender. Nada como um imprevisto que te tira do rumo, te faz mudar de estrada, pegar o atalho. Foi isso o que aconteceu quando decidi terminar meu namoro. Larguei a estrada que estava percorrendo por quilômetros e peguei um atalho esburacado. Claro que minha mãe não conseguia entender o porquê. Gustavo Ferreira? Filho único de uma das famílias mais tradicionais de Juiz de Fora? O garoto de aparência impecável que parecia ter caído do céu havia poucos minutos? Não, não. Isso estava além da capacidade de controle e do ideal de perfeição dela. E eu preferia deixar dessa forma. Não adiantava, ela nunca entenderia os meus motivos.

— Mãe, estou indo encontrar as meninas da faculdade, ok? Tenho uma festa hoje — aviso e dou uma última conferida no espelho.

Acho que eu já havia emagrecido uns dois quilos. Até que esse lance de ser solteira estava me fazendo algum bem, finalmente. Resolvi tirar a maquiagem da gaveta, afinal, era o meu primeiro dia oficial de solteira-na-balada e isso requeria um *make* bem especial. Mesmo que eu não gostasse disso, era hora de aparecer e ser vista. Eu tinha certeza de que a notícia do meu término já correra a cidade e precisava estar à altura pra não deixar o bafafá me pôr pra baixo. Passei delineador nos olhos e esfumei uma sombra preta. O rímel bem caprichado, um pouquinho de *blush*. Agora, sim, uma nova garota. Na boca, um batom vermelho. Dei uma analisada em mim mesma. Vestidinho preto, ok. Cabelos soltos, ok. Maquiagem bem pesada, ok. Eu parecia mesmo estar empolgada com todo esse lance de ser solteira. *Parecia.*

— Festa? Quarta-feira? Filha... — E ela me olha com *aquele* olhar de piedade.

Argh.

— É, mãe. Festa na quarta-feira. Bem-vinda ao século XXI.

— Você sabe que eu não gosto nada disso. E precisa dessa maquiagem toda?

— A-hã.

— Não tem uma roupinha mais discreta? Onde tá aquela saia mais compridinha que eu te dei de Natal?

— Ai, mãe, nem sei, eu quero ir assim, por favor! Me deixa.

— Olha, Isabela, vai lá. Não quero me chatear com você, tudo bem, se divirta. Só não se esqueça de...

— Nunca aceitar bebida de estranhos, não dar bola pra caras que eu não conheço e blá-blá-blá. Relaxa, mãe. Não é porque estou solteira que vou sair fazendo feio por aí. Ainda sou a mesma pessoa, eu, hein!

E me despedi rapidamente antes que qualquer outro conselho saísse de sua boca.

Sabe quando você sai de casa com o estômago embrulhado? Eu estava assim. E não era nervoso, ansiedade, nem coisa alguma. É porque eu tinha certeza de que não ia gostar, quer dizer, sertanejo? Verdade que as pessoas gostavam disso? Sem contar que músicas sertanejas são melosas e dramáticas demais, e de dramática já bastava eu. Ainda tinha o fato de que a Amanda não estaria lá, nem o Pedro. Só a Marina. A Marina era o tipo de "amiga" que substituía meus dois melhores amigos quando eles não podiam estar por perto. Não éramos lá muito íntimas. E, ultimamente, ela era minha única companhia, já que o Pedro embarcara havia dois dias para passar um tempo fazendo intercâmbio na Austrália, e a Amanda estava namorando e não poderia me acompanhar nos meus programas de recém-desquitada. De que adianta ter amigos se quando você precisa deles um está do outro lado do oceano e a outra, trocando beijos apaixonados com um cara por aí?

Dei uma conferida no celular, nada. Meu ex estava muito silencioso, será que tinha se conformado com o término? Ou estava fazendo isso só para ver até onde eu ia? Coitado. Eu não ia voltar atrás, não mesmo. O silêncio dele, porém, me incomodava, e eu não sabia por quê. Ou sabia, sei lá. Será que ele já estava com outra? Não é possível. Seria uma tremenda cara de pau da parte dele. Que tipo de amor é esse que se supera rápido assim? Tudo bem, respira. Nada de Gustavo por hoje. Você precisa se divertir. Mesmo que se divertir signifique ir a uma festa sertaneja com sua amiga efusiva que quer te apresentar a um tal de Evandro da academia. Meu Deus, essa vida de solteira não era mesmo pra mim.

Cheguei na porta da festa e lá estava ela, a Marina. Ela é linda, sério. Ela é uma morena cor de jambo, de olhos verdes e lábios carnudos. Hoje ela estava com um top branco, que deixava seu abdômen malhado à mostra, e uma saia vermelha bem curta e justa. Nos pés, os seus inseparáveis saltos plataforma. Por que será que tenho a impressão de que a Marina conhece todos os caras solteiros da cidade? Às vezes me perguntava se o motivo de ela nunca namorar firme era porque já tinha ficado com todos os garotos disponíveis. Será que ela não se cansava, ou sei lá, não se confundia no meio de tantos nomes e rostos? Eu certamente me confundiria. Até hoje não decorei o nome do meu professor de Direito Civil, e olha que ele me dá aula há três longos anos. Memória seletiva, sabe como é.

Tento chamar a atenção dela para que se separe do seu grupinho e venha falar comigo discretamente, mas...

— Isabela! Gente, essa é a Isabela, *minha amigaça*, a que eu estava falando pra vocês. Ela ficou solteira há pouquíssimo tempo! Não é demais? — anuncia, enquanto joga os cabelos de um lado para o outro supondo um charme que mais se parece com um comercial de xampu. — Isabela, fala *oiii* para os meninos. Deixa eu te apresentar, Evandro, Fabinho, Lucas e Márcio. Eles malham comigo.

Pronto. Todos os olhos estavam em mim e eu não gostava nem um pouco disso. Sabe aquele lance do cachorro de rua que observa o frango assado no assador? Então. Só que o frango assado era eu, e eles estavam mais para lobos famintos que não comiam há meses. Já estava me arrependendo por ter ido de vestidinho curto. Sabia que deveria ter colocado uma calça jeans ou a saia que minha mãe me deu, mas... Qual é? Minha primeira noite solteira. Eu queria me sentir bem e bonita.

— Ah, oi, gente. Prazer. — Me viro para a Marina: — Vamos entrar?

E puxo a minha amiga para a frente, para ninguém escutar o que eu falaria em seguida.

— O que você acha que está fazendo? Eu não quero que você fique me apresentando como um produto toda vez que eu chego nos lugares. Dá pra parar com isso?

— Ih, amiga, sai dessa *noia*.

— *Noia*? Eu? Olha, esquece. Só não faz mais isso, ok?

— Ok, ok. Calma. Bebe um drinque e relaxa que a gente só sai daqui muito bem acompanhada, anota o que eu tô te falando, a noite promete.

O problema era este: prometer e não cumprir.

Entramos na festa e fomos direto ao bar. Não sei por que esses cardápios têm uns nomes tão esquisitos. "Azul dos olhos teus", isso lá era nome de bebida? Tão mais fácil colocar "bebida azul", ou então, "aquela-bebida-que-te-deixa-feliz-mesmo-sem-você-estar". "Me vê duas dessa, por favor." Às vezes tenho a impressão de que as pessoas só bebem para aguentar a solidão, ou escapar dela. Eu, pelo menos, só bebia nessas ocasiões. Ou quando, de repente, queria confessar que tinha o sonho de que minha vida fosse um filme.

Sempre gostei de ir a festas para observar as pessoas, não que eu precisasse estar em uma festa pra fazer isso. Eu sempre fazia isso. É que em festas, geralmente, as pessoas agem de uma forma peculiar. Fingem sorrisos, felicidade, amizades e, em alguns casos, até amor. Sensacional, tudo que eu precisava. Mais um pouco de falsidade na minha vida. Eu observava um casal discutir a relação no meio da pista e me pegava imaginando se o culpado seria o garoto que vestia calças quase nos joelhos ou a garota que borrava o rímel em meio às lágrimas e, opa, de repente sinto uma presença se materializando ao meu lado. Ah, não, era o tal do Evandro. Lá vamos nós.

— E aí, tá gostando da festa? — começa ele, dando uma sacada geral em mim.

Nossa, ele era bastante atraente. Tudo bem que a Marina era uma chata e ficava me empurrando para todos que apareciam no caminho, mas, nossa, juro que agora eu não reclamaria mais. O Evandro devia estar na casa dos 25 anos; era alto, forte na medida certa, tinha os olhos verdes-oliva e cabelos escuros bagunçados. Como se tivesse acabado de acordar e ainda assim estivesse lindo. Foco, Isabela, foco.

— É que... eu não gosto muito de sertanejo — resolvo ser sincera (como se isso fosse uma opção, já que falar o que penso é algo que eu nunca consigo evitar).

— Percebi. Você é aquele tipo de garota, né?

— Que tipo de garota?! — me assusto.

Será que ele estava querendo dizer que eu estava desesperada? Do tipo que vai a uma balada que não gosta por pura derrota do destino? Era só o que me faltava.

— Ah, você sabe. Aquelas garotas difíceis. Que não gostam de qualquer coisa. — E sorri.

Se ele estava tentando me seduzir com esse sorriso de canto de boca, olha, estava funcionando. E não que eu fosse uma garota que se derrete com qualquer sorriso, mas, poxa vida, era um sorriso maravilhoso. Acho que... bem... eu podia me deixar seduzir por esse sorriso só hoje.

— Hum, talvez. Pelo menos em se tratando de música, sim.

Legal. Por que eu sempre tinha que ficar tímida com garotos? Eu era a garota mais bem-resolvida entre todas as minhas amigas, só que quando se tratava de flertar com alguém eu era realmente um desastre. Nunca sabia o que dizer e sempre, repito, sempre dava um jeito de mudar de assunto quando a coisa toda esquentava. Como agora, por exemplo.

— Você gosta de sertanejo? — tento reatar a conversa já fracassada.

— Eu gosto de tudo um pouco. Mas hoje a balada tá melhor do que costuma estar — avalia ele, olhando para minha boca.

Não, não, não. Isso não podia estar acontecendo.

— É... Tá cheio, né? — falo, tentando desesperadamente fingir que não estava percebendo que o corpo dele se aproximava.

Se meu coração fosse uma melodia, seria uma bateria de escola de samba completa agora.

— Vem cá... — sussurra no pé do meu ouvido, me fazendo arrepiar inteira.

Não sei como foi que aconteceu, mas quando dei por mim estávamos no maior amasso no meio da pista. É isso mesmo. Eu, Isabela, estava ficando com o tal do Evandro da academia. Pleno impulso. Isso só pode ser uma piada, sério, eu não sabia nem o signo dele. E signos são importantes para mim, poxa, e se ele for de Gêmeos? Eu odeio o signo de Gêmeos. E se ele tiver namorada? MEU DEUS, E SE ELE TIVER NAMORADA? Não me lembro de ter perguntado isso a Marina em momento algum, muito menos a ele. (Acho importante ressaltar aqui que eu sempre crucifiquei minhas amigas que ficavam na balada com caras que mal conheciam. Sempre que a Marina vinha me contar dos últimos amassos que tinha dado no fim de semana, eu torcia o nariz.)

— Marina, você sequer lembra o nome dos homens que você beija? Por Deus!

— Ai, Isabela, você é tão careta. É só pegação, uns beijinhos. Faço para me divertir, esquecer, sei lá, é gostoso. Nem todo mundo acha que o fato de beijar outra pessoa deve ser feito com os mais puros sentimentos do planeta Terra, igual a você. Aliás, *ninguém* pensa assim. Você parece a minha avó — insiste ela.

— Sua avó nada, só acho que você podia pelo menos tentar conhecer os caras antes de dar uns beijos neles. Você sabe, perguntar nome, signo, idade, onde mora, o que estuda, se trabalha, o que pretende fazer no futuro. O básico mesmo.

— Básico? Isso é praticamente uma entrevista de emprego! Você é uma comédia, Isabela.

E caía na gargalhada. O problema é que eu não estava brincando.

Hoje vou esquecer todos os paradigmas que impus a mim mesma por toda a vida. Que se dane o que pensarão de mim, eu vou beijar o Evandro da academia sem saber o seu signo nem ter feito seu mapa astral. E vou me sentir bem com isso, vou sim. Se a Marina se sente bem fazendo isso, por que eu também não posso? Em meio a esses pensamentos, Evandro me interrompe:

— Gatinha, vou ao banheiro, ok? Já volto.

Ele me chamou de gatinha, ga-ti-nha? Acho que em qualquer lugar que meu ex esteja agora ele está rindo da minha cara. Eu simplesmente odiava caras tipo o Evandro.

Resolvi que ia procurar a Marina enquanto o Evandro da academia não voltava. Rodei a festa inteira e nem sinal dela. Onde essa garota havia se metido? Então era assim? Ela me jogava de comida aos lobos e depois sumia? Não mesmo. Ela ia aparecer, nem que eu tivesse que subir no palco e chamá-la pelo microfone.

Sinto alguém me puxando.

— E aííííííí, amiga?! — É ela.

— Marina, eu fiquei com o Evandro — solto a verdade incômoda logo de uma vez antes que ele reapareça com aquele sorriso torto.

— Ficou?! Ahá! Eu sabia! Ele não é um ga-to? Vocês combinam!

— Marina, ele não tem namorada, tem? E o signo dele, você sabe?

Ok. Eu juro que só queria saber esses dois tópicos.

— Será que você pode ser um pouco menos paranoica? Como vou saber o signo dele? Quem se importa? Ele é gato e te quer. Isso basta.

E o que aconteceu em seguida eu ainda não sei explicar muito bem. No minuto em que a Marina terminou de concluir o seu pensamento, nós duas olhamos para a frente e encaramos a seguinte cena: o Evandro dando um superbeijo em uma garota. Assim mesmo, sem pudor nenhum. Na minha frente. Ainda fez questão de abrir os olhos, olhar fixamente para mim — e voltar a beijar.

Eu sabia que algo de ruim ia acontecer esta noite, *sabia*, SABIA. Meu *feeling* nunca se engana. Não que o fato de o Evandro da academia ter beijado outra na minha frente tenha me incomodado, porque não incomodou. Foi a junção dos fatos que fez com que o sentimento de "vazio" preenchesse o meu peito. Todo esse lance do término do meu último amor destroçado, eu tentando me acostumar com a vida de solteira, a falta de mensagens de "boa noite", o fato de não ter "alguém especial" e, pra piorar... parecia que esse alguém que eu tanto procuro estava muito longe de surgir.

Pelo visto, festas e boates estavam infestadas de Evandros. Isso era decepcionante e um pouco desanimador. Minha vontade era me enfiar debaixo de um edredom, abrir um pote de sorvete e assistir pela milésima vez a *Keith*, o meu filme preferido. Mas, antes que eu pudesse pensar em qualquer outra coisa, estava aos prantos, de novo, como naquele dia no sítio. Só que, dessa vez, sem Amanda, a voz da sabedoria, e sem Pedro, o leitor de mentes. Eu só tinha a Marina, e no momento a única coisa que ela conseguia fazer era me abraçar e dizer:

— Vai ficar tudo bem, amiga.

Só que nem amigas nós éramos. Eu estava mesmo muito bem.

Eu não queria que "tudo ficasse bem". Eu só queria entender o que se passava aqui dentro. Então me afastei e quis ficar sozinha um tempo, pensando num canto. Eu era um emaranhado de sentimentos que nem a pessoa mais paciente do mundo conseguiria desembolar. O que estava acontecendo comigo? Eu não estava feliz em meu relacionamento e não conseguia ficar feliz agora que estava solteira e livre para fazer minhas próprias escolhas. Do que é que eu precisava, afinal? Que lição a vida estava tentando me ensinar?

Nem terminei de elaborar a última pergunta e a resposta já me atingia como um soco no estômago.

Quantas vezes a gente fala pra amiga "credo, eu pegar ele? Jamais!", aí vai lá e pega? Isso é coisa de mulher, mano

Isabela Freitas / @IsabelaaFreitas

CAPÍTULO 4

Se você se apega muito ao passado, está destinado a revivê-lo todos os dias

Eu preciso não precisar de nada. É isso, *só isso*. Eu passei toda a minha adolescência procurando no outro aquilo que eu deveria ter em mim mesma. Um porto seguro. Qual é? *Eu* deveria ser o meu próprio porto seguro! Esse lance de se sentir segura com outra pessoa é balela, aliás, você até pode se sentir segura com outra pessoa, o que não quer dizer que ela *tenha a obrigação de ser* o seu porto seguro.

Se eu me sentisse bem comigo mesma não me importaria nem um pouco quando o Evandro enfiou a língua na boca daquela garota-do-nariz-torto-horrorosa na minha frente. Se eu me importei, por mais que eu negue, é porque eu esperava algo dele. Talvez mais consideração, respeito ou, sendo menos exigente, apenas uma noite de beijos loucos. E apaixonados. E quentes, nossa, eles eram quentes. Foco, Isabela, foco.

A questão toda é que não podemos acusar o outro de não nos oferecer aquilo que já deveríamos ter. A outra pessoa não tem obrigação alguma de suprir aquilo que falta em você, isso é problema seu. Antes de nos relacionarmos com alguém devemos ter tudo aquilo de que precisamos na bagagem, que, a propósito, deve ser duplamente checada. Se eu fosse contar os itens essenciais que devemos ter conosco eu diria que são cinco:

Amor-próprio.
Autoconfiança.
Honestidade.
Realização pessoal.
Felicidade.

E o que em nós eles conseguem mudar quando nos relacionamos com alguém? Bem, tudo.

AMOR–PRÓPRIO

Não adianta negar, nós estamos sempre idealizando "a pessoa perfeita" em nossos pensamentos. Eu, por exemplo, sempre procurei um homem que me protegesse de todo o mal que houvesse no mundo, aquele que seria o meu "herói", o meu escudo. Aquele que me faria sentir segura em um abraço. Procurei por todos os cantos, insisti que esse cara existia. *Ah, existia. Ele tinha de existir.* Foi preciso muito mais do que várias histórias de amor arruinadas para que eu percebesse que ele existia, sim. Ele estava estampado no reflexo do meu espelho todos os dias.

A pessoa perfeita para mim... sou eu. Surpresa! Eu sou uma garota de classe média no auge da juventude. Toco piano, sei falar inglês fluentemente, arranho no espanhol. Curso Direito, quero estudar Publicidade e pretendo ser uma grande escritora. Sou maluca por animais de estimação e sinto vontade de adotar todos os cachorros e gatos que vejo abandonados pela rua. Sou romântica, mas não muito. Gosto de pequenos gestos, nada de declarações escandalosas de amor. Não como frutas, legumes, nem verduras (por mais que tente) e sou viciada em Coca-Cola Zero. Já fiz balé, jazz, sapateado, e sou apaixonada por tudo que inspira a arte. Escuto música na maior parte do meu dia e compro mais livros do que consigo realmente ler. Assisto a dez séries ao mesmo tempo e me perco em meio a tantas histórias. Quando saio, gosto de fazer novos amigos. Sou expansiva. Sincera. Um pouco chata também, diria até implicante. É isso. Agora me diz, devo eu achar alguém que me complete? O que é completar?

Completar: v.t. Acabar, levar o trabalho a bom termo; terminar, concluir.
Integralizar, integrar.

Então, peraí, eu sou uma metade? Sou 50% de alguma coisa? Incompleta? Algo que precisa de conclusão? O que existe não está de bom tamanho? O simples fato de eu ser quem sou não basta? Preciso de alguém que supra o que está faltando? Ora, o que está faltando? O que há para ser completado? Besteira. Que me desculpe o criador da frase "você deve encontrar a metade da sua laranja". Calma lá, amigo, eu nem gosto de laranja!

Pessoas não são laranjas pela metade, muito menos panelas sem tampa. São pessoas, 100%, ou, pelo menos (tirando aqueles pedaços do coração que podem ter ficado espalhados por aí), somos 99%. De carne, osso e sentimentos. Mais sentimentos do que tudo. E precisamos aprender a amar esse emaranhado de sentimentos, pensamentos e inseguranças que somos. É difícil, claro que é. Até porque não existe nada mais complicado do que amar alguém que você conhece por inteiro, conhece todos os pensamentos, defeitos, manias e passado. Olhar para si mesmo é algo insuportável.

Sabe aqueles dias em que você tem certeza de que está com uma aparência horrorosa, porque dormiu mal ou passou a noite em claro fazendo um trabalho para a faculdade? Então você evita todos os espelhos e nem arrisca uma espiadela nos reflexos dos carros da rua... É isso. Gostamos de evitar olhar para nós mesmos porque temos medo do que vamos encontrar. Inseguranças, problemas, marcas, traumas, saudades que cortam o peito, arrependimentos? Tem de tudo um pouco por aqui. Como amar a si próprio, mesmo não sendo perfeito conforme gostaríamos de ser?

O processo é lento. Primeiro temos de nos aceitar como somos fisicamente, ou fazer algo para mudar aquilo de que não gostamos. Sorriso no rosto, foco no objetivo. Minha avó sempre dizia uma frase muito sábia: "Não há nada que a persistência não consiga. Para ela nada é impossível". E é verdade. Podemos ser o que quisermos ser, desde que lutemos por isso.

Nunca nos achamos bonitas o suficiente, magras o suficiente, altas o suficiente. E eu te pergunto: pra quê? Suficiente pra quem? Pra conquistar alguém? Você precisa ser alta e magra pra arrumar um namorado? Não. As pessoas são diferentes, e todas elas, repito, todas, acham alguém que goste delas do jeitinho que são. Nunca vi uma pessoa morrer sozinha por ser feia; ou não ter amigos por não ser bonita o suficiente. Isso não existe.

Vamos esquecer o estereótipo de "perfeição" que nos é imposto todos os dias. As atrizes de televisão são pessoas normais, acreditem. Estão duvidando? Joguem no Google o nome da atriz que você tanto venera junto a "+antes da fama". É deprimente, ou, melhor dizendo, é até inspirador. O "perfeito" não existe. Porque a "perfeição" é uma variável. Ao amar cada pedacinho do seu ser, você acaba se tornando perfeita para si e, consequentemente, para o mundo. Esse é o segredo daquelas mulheres imponentes que andam por aí com o nariz empinado como se nada mais importasse. É que, realmente, não importa. Elas se bastam. E não porque são lindas, altas ou magras. Porque se amam. E o amor-próprio explode como uma supernova, iluminando todos à sua volta.

É impossível falar de amor-próprio e não me lembrar de uma amiga que tive na escola. Essa amiga não era a mais bonita do colégio, não mesmo. Baixinha, com alguns quilinhos a mais, dentes cercados por um aparelho que ela se orgulhava de possuir e cabelos encaracolados. Fugia do clichê da garota alta, magra, de cabelos lisos, que sempre aparece nos filmes hollywoodianos. Acontece que a Bia era o maior sucesso entre os garotos. Era engraçada, bem-humorada, sensual e misteriosa. Bia foi o motivo de eu chorar e espernear pedindo um aparelho pro meu pai.

— Mas pai, eu pre-ci-so de um aparelho. A Bia lá da sala tem um e é LINDO! — choramingava.

— Filha, os seus dentes são perfeitos. Só usa aparelho quem precisa corrigir algum problema — ele explicava, paciente.

Meu pai é dentista, ora, ele podia muito bem colocar um aparelho em mim sem que eu precisasse, né?

— E daí? Eu quero um aparelho para poder usar as borrachinhas coloridas iguais às da Bia. Por favor, pai!

— Já disse que não vou colocar aparelho nenhum nos seus dentes — e encerrava o assunto.

Eu não entendia qual era o segredo da Bia, só podia ser o aparelho. Aquele aparelho colorido com borrachinhas, que alternavam entre rosa, preto, até verde, amarelo e azul na época da Copa, tinha algum mistério. E realmente tinha. Mas eu só fui entender alguns anos depois. A Bia se amava. Profunda e intensamente. Não era o aparelho que chamava a atenção das pessoas, e sim o seu amor-próprio.

Aquele que não se ama procura no outro um amor incondicional que deveria existir dentro de si mesmo. Aquele que se ama se basta. Estar ao lado de alguém é apenas o simples fato de possuir uma boa companhia para desfrutar os seus dias. E, quem sabe, doar um pouco do amor que já existe no próprio coração.

AUTOCONFIANÇA

Como confiar no outro quando não confiamos em nós mesmos? Como acreditar no outro quando não acreditamos nas nossas próprias palavras? Como dizer ao outro tudo aquilo que sentimos sem medo de parecer um completo tolo? Autoconfiança. A autoconfiança é a chave para colocar o amor-próprio em prática.

Vamos ao exemplo. Aposto que você já se relacionou com uma pessoa extremamente ciumenta, daquelas que não podem te ver olhando para o lado que já começam a desconfiar. *Olhando para onde? Para quem? Vai ao supermercado? Por quê? O caixa é bonito? Saiu com as amigas para quê? Para flertar com os homens do bar?* Ciúmes é insegurança, é falta de autoconfiança. A pessoa não confia em si mesma, como confiar no outro? É impossível. Gostamos de apontar nos outros os nossos defeitos. Se você arriscou uma olhadela com segundas intenções para o garoto da sua classe, por que o outro também não faria igual? Se você não se acha bonito o suficiente, por que o outro acharia? Se você não se considera uma boa companhia, por que o outro desejaria estar a seu lado? São questões que vêm de dentro para fora e afetam todos os que estão ao seu redor. Infelizmente.

Nós devemos ter mais autoconfiança, isso é um dos requisitos básicos para o sucesso em um relacionamento. Quantas vezes você perdeu oportunidades por se achar inadequado? Quantas vezes deixou de falar o que realmente sentia por medo de não parecer o certo? Quantas vezes perdeu pessoas por receio de pedir que elas ficassem? Quantas vezes se reprimiu por se sentir inferior a algo ou alguém? Inúmeras. Nós, seres humanos, somos assim... desconfiados, céticos, diria até reprimidos. Até o momento em que passamos a confiar naquilo que somos e sentimos vontade de gritar isso ao mundo. Aquele que sabe do que é capaz pode conquistar qualquer coisa.

HONESTIDADE

Você é honesto consigo mesmo? É? Tem certeza? Posso ver os pontos de interrogação se formando em sua cabeça neste exato minuto. Quase ninguém consegue ser 100% honesto consigo mesmo. Portanto, fique tranquilo, que o barco está cheio e com excesso de passageiros. Estamos sempre tentando tapar o sol com a peneira, embora a gente saiba que ele vai queimar da mesma forma.

Eu, por exemplo, passei a vida inteira fingindo ser alguém que nunca fui. Era meu mecanismo de defesa, eu gostava de parecer insensível a qualquer sentimento. Isso me fazia bem, até certo ponto. O problema de fingir ser o que não conseguimos ser é que, no fim do dia, ainda resta o espelho para encarar. E o espelho não nos deixa mentir. Podemos forçar sorrisos, personalidades, felicidade, sentimentos... o coração, porém, grita por honestidade. O coração gosta de sinceridade, de ser aquilo para o qual foi predestinado.

Eu fingia, e fingia bem. As pessoas me julgavam feliz e honesta comigo mesma, e apenas aqueles poucos que conseguiam fazer com que eu baixasse minha guarda sabiam quem eu era realmente. Por trás de toda a casca de garota durona, existia uma menininha com medo do amor. Eu não chorava ao terminar relacionamentos, mas chorava com comerciais de margarina. Dizia não acreditar no amor, mas assistia compulsivamente a filmes românticos. Fracassava em todos os meus relacionamentos e jurava de pés juntos não me importar com isso, mas os olhos brilhavam todas as vezes em que via um casal de velhinhos desfrutando uma tarde no parque enquanto andava de mãos dadas. Dizia "dane-se" ao perder pessoas, mas remoía a saudade dentro do peito todos os dias, que, em seguida, se arrastavam. Eu sentia, e sentia muito. E isso era motivo suficiente para que quisesse ser uma pessoa diferente daquela que estava predestinada a ser. Eu não queria chorar em casamentos nem sonhar com amores de arrancar o coração. Eu queria ser indiferente a sentimentos, não sentir tanto, não sofrer tanto.

O que eu não sabia é que fugir de si mesmo é uma questão de tempo. Um dia a estrada termina desembocando em uma rua sem saída, lotada de espelhos. E é chegada a hora de se encarar nos olhos e assumir diante do mundo o que realmente se é.

Eu sou uma mulherzinha, é isso. Não falei alto o suficiente? EU SOU UMA MULHERZINHA. Daquelas que queriam que príncipes encantados fossem reais e sonham (sim, eu ainda sonho, qual o problema?) ser uma princesa da Disney esquecida. Sei lá. Vai que eu sou uma filha perdida da realeza europeia? Foi assim com Anastacia.

Gosto de assistir a desenhos animados porque sei que eles terão finais felizes. Escuto Taylor Swift escondida das pessoas. Fico em estado de nervos todas as vezes em que preciso sair de casa e as minhas roupas resolvem sumir. Ou, no pior dos casos, encolher. Digo tudo quando não digo nada. Tenho a mania irritante de morder os lábios sempre que estou pensando. Demoro a responder às mensagens porque nunca sei o que responder. E se ele me achar oferecida demais? E se ele achar que eu não estou nem aí? Eu tô aí, aqui, eu *tô*. Mas nunca sei como expressar da melhor forma.

Também nunca soube a diferença entre tudo ou nada. Ou sou muito, ou não sou. Durmo abraçada com bichinhos de pelúcia. Gosto de tardes ensolaradas e sonho com os dias em que as passarei a seu lado. Seja lá quem você for. Noites frias, sou apaixonada por noites frias. De preferência em frente a uma lareira. Do seu lado, de novo, querido rapaz sem nome. Sou sagitariana com ascendente em Capricórnio, seja lá o que isso signifique, mas deve ser algo parecido com: apenas uma garota que vive no mundo da lua, exagera em tudo e quer viver a vida aos extremos. Tenho vontade de sentir emoções profundas, sejam quais forem, tristeza, alegria, dor. Desde que consumam meu coração e me preencham por completo, eu me sinto bem. Porque eu gosto de sentir o fogo da vida queimando no peito. Sonho demais, penso demais, escrevo demais. E, ah, eu também queria que minha vida fosse como um filme. E que a trilha sonora fosse recheada de bandas como Lifehouse, OneRepublic e The Script.

Tá vendo só porque eu fugia tanto de me encarar como realmente sou? É difícil ser uma mulherzinha nos dias de hoje. Mulherzinhas têm o coração despedaçado em milhões de partes e fica difícil juntar os cacos, já que apenas um toque pode abrir a ferida novamente. Mulherzinhas são enganadas porque mulherzinhas acreditam sempre no melhor das pessoas. Mulherzinhas sempre acham que tudo vai dar certo, como elas sonham e desejam que dê, mas mulherzinhas esquecem que as decepções estão aí em todas as partes. Disfarçadas de pessoas que querem o seu bem. Mulherzinhas precisam aprender a se tornar mulheres. E é o que estou tentando fazer. Me aceitar como sou, porém amadurecer a ponto de não cair nas armadilhas do caminho.

É isso. Precisamos ter coragem de encarar o espelho e ver quem realmente somos, e o que queremos ser. Honestidade começa de dentro para fora. Só se tem um relacionamento sincero e honesto quando se é honesto consigo mesmo.

REALIZAÇÃO PESSOAL

Ok. Antes que me entendam mal, eu não acho que uma pessoa precise ser rica, bem-sucedida e ter quatro carros na garagem para ser feliz em um relacionamento. Não é isso. Realização pessoal nada tem a ver com condição financeira. Ou até tem. Depende de quem está em jogo. Falando por mim, o que me faria sentir completamente realizada?

Ver os meus amigos felizes. Dar orgulho aos meus pais. Lembrar às pessoas ao meu redor quanto as estimo, o tempo todo. Escrever muitos livros. Descobrir todos os dias uma música nova. Me mudar para a Irlanda e morar em uma casinha aconchegante de frente para uma linda paisagem. Me casar com alguém que eu ame. Ter filhos que serão os motivos do meu sorriso. Envelhecer ao lado daquele com quem eu me casar. Cuidar das pessoas que eu amo até o fim dos meus dias. Ganhar dinheiro suficiente para que eu possa ajudar os animais de rua. E só.

Isso é um resumo das coisas que eu mais desejo alcançar na vida, coisas essas que, se se realizarem, farão de mim a mulher mais feliz do planeta. O que é quase impossível de acontecer, é claro. No entanto, ainda confio que pelo menos algumas delas se realizarão e eu serei a mulher mais feliz do planeta. Da mesma forma.

Quando tudo dá errado em nossa vida, tendemos a querer procurar um culpado. Tem de existir. A culpa é de quem? Deus? Destino? Macumba das garotas que não vão com a sua cara? Do seu namorado, que não fez nada para evitar que você se decepcionasse? Não. A culpa é da vida, isso mesmo. Da vida. A vida acontece todos os dias, independentemente do que você deseje ou queira. Mesmo que você se feche para o mundo, ela ainda vai acontecer. O sol nascerá, a tarde cairá, o céu se cobrirá de estrelas e a lua iluminará. E o que tiver de acontecer, vai acontecer. Mesmo que você compre uma máquina do tempo e volte as vezes que julgar necessárias para consertar todas as burradas que fez no passado. Vai acontecer.

Você sabe por quê? Porque precisamos de decepções para amadurecer. Sem elas, nada seríamos. É como se a cada decepção nos fosse dado um frasco de vida, e cada vez que nos machucamos temos mais vontade de viver. Se não existissem as dores do mundo, seríamos todos frágeis, fracos, feito papéis que se rasgam facilmente com qualquer puxão. Então, que venham as decepções, as quedas, as feridas abertas, as cicatrizes, o sangue espalhado pelo chão. Que eu seja demitida do emprego, desista da faculdade, perca amizades que julgava verdadeiras e me apaixone pela pessoa errada diversas e repetidas vezes. Mas que eu nunca perca minha vontade de viver e de me realizar. Que eu nunca desista daquilo em que acredito e daquilo com que sonho. Que as decepções não me impeçam de voar alto.

Essa é a realização pessoal da qual eu falo. Pessoas que insistem em manter um sorriso no rosto mesmo quando tudo vai de mal a pior. Pessoas que não se fazem de coitadas e continuam remando contra a maré. Pessoas que sofrem 364 dias durante o ano, todavia sonham com o único dia em que serão felizes. São essas pessoas que você tem de manter por perto. Seja essa pessoa.

Ninguém precisa ter a seu lado alguém que se faz de vítima o tempo todo. Todos nós somos vítimas, porém poucos continuam seguindo em frente e se tornam vitoriosos.

FELICIDADE

Ser feliz é o resultado de tudo isso que eu disse. Com o amor-próprio, se adquire a autoconfiança. A autoconfiança leva à necessidade de honestidade para consigo mesmo. Assim, lutar pela realização pessoal se tornará um objetivo de vida. Pronto. Agora é só estampar um sorriso no rosto e agradecer todos os dias em que acorda a chance de poder mudar sua vida para melhor.

Agora dá para entender a importância desses cinco itens na bagagem antes de nos relacionarmos com alguém? Se você não tem nenhum deles dentro de você, vai acabar cobrando que o outro supra aquilo que te falta. E começar um relacionamento recheado de expectativas só pode acabar de uma forma: com decepções.

E em meio a todos esses pensamentos, tive de voltar à realidade, onde tudo que existia era uma festa que tocava músicas das quais eu não gostava, uma gente que olhava pra mim como se eu fosse uma qualquer, atitudes que nada condiziam com o que eu considerava o mínimo de respeito e... hã? O que era aquilo ali no meio da pista? A Marina estava beijando o... MEU EX-NAMORADO?????

Falsidade é mato e você é
uma vaca

Isabela Freitas / @IsabelaaFreitas

CAPÍTULO 5

Coração feito de vidro. Ora quebra, ora corta

Não, não podia ser. Pisquei meus olhos repetidas vezes, como se o ato de fechar e abrir as pálpebras fosse fazer com que a cena que se formava à minha frente sumisse. Fecha, abre, fecha, abre, fecha. Abre. É. Não adiantava. Aquilo era simplesmente surreal.

Eu reconheceria aquele topetinho a quilômetros de distância. Era ele mesmo, não tinha erro. Gustavo Ferreira, o pegador da cidade, estava de volta. O Gustavo, antes de me namorar, era um babaca, daqueles que se acham melhores que todo mundo só porque nasceram em berço de ouro. Alto, olhos castanhos, nariz aquilino, era o desejo de todas as meninas. E é claro que sabia se aproveitar bem disso. Eu o conheci quando ele abusava de suas técnicas baratas pra me conquistar. E algumas atitudes eram tão toscas que eu tentava dar um jeito de mostrar a ele que o caminho pra me balançar não era exatamente a trajetória retilínea que ele pensava que fosse. Claro que o Gustavo não se importava.

Às vezes eu tinha certeza de que seria apenas mais uma pra coleção, sabe, mais uma entre as muitas apaixonadas por ele. Porém, não teve jeito, eu acabei caindo no papo de que eu era a única e blá-blá-blá. Me apaixonei. No tempo em que ficamos juntos ele até tentou melhorar, ficar mais sossegado, não ser tão controlador, tão egocêntrico, mas agora, não sei por que, eu tinha certeza de que ele regrediria. E, bem, eu tinha razão.

Eles continuavam se beijando no meio da pista, numa espécie de cena pitoresca. Se minha vida fosse realmente um filme, essa seria a cena crucial. Uma cena em que eu, provavelmente, avançaria imponente em direção aos dois traidores e diria tudo aquilo que viesse à minha mente. Era isso.

Eu iria lá no meio da pista gritar dentro do ouvido da Marina que ela acabara de perder a única pessoa que ainda aturava o seu jeito "difícil" (para não dizer o contrário) de ser. Diria que ela era o tipo de pessoa que morreria sozinha, porque colocar homem na frente de amizade nunca levou nenhuma mulher a lugar algum. Ah, diria... E depois eu poderia dar um tapa naquela cara de pau dela, se bem que, melhor não. Eu não queria parecer a ex-namorada louca e ciumenta, até porque, por mim, o Gustavo podia beijar todas as mulheres do mundo... Mas logo a minha amiga?

Tá, corrigindo, minha "amiga"? Minha pseudocolega-de-balada? Isso era golpe, e dos baixos. Devia ser por isso que ela estava me oferecendo pros amigos dela, me queria fora da jogada. Como eu sou trouxa! Será que eles tinham combinado antes? Meu Deus! Será que eles se falavam? Ele sabia quem ela era e estava se aproveitando. A propósito, também diria ao Gustavo que, com essa atitude, ele só demonstrava que não era merecedor de estar a meu lado, é... eu diria exatamente isso.

Que atitude escrota! Depois de tanto tempo juntos! Vamos lá, Isabela, anda, está esperando o quê?

Oi? O que estava acontecendo com os meus pés? Eles não se moviam. Meus sapatos pareciam ter adquirido toneladas e toneladas de chumbo de um minuto para outro. Eu não conseguia sair do lugar, então só fiquei ali observando o Gustavo puxar a Marina pelos cabelos (sedosos, por sinal, aff), enquanto ela sorria e sussurrava algo no ouvido dele. Não precisava ser uma leitora profissional de lábios para saber o que ela dizia:

— Eu sempre fui a fim de você.

Ou talvez fosse só a minha imaginação pregando peças. Eu devia ter pirado de vez. Juntei as forças que me restavam e dei um jeito de ir embora logo dali, sob os olhares piedosos das pessoas ao redor. Inacreditável, simplesmente inacreditável. Eu devo ter uma tatuagem na minha testa que diz:

> *Otária. Aproveite-se da amizade desta pobre garota enquanto pode e, quando ela não lhe for mais útil, jogue fora. E, ah, dica: ela pode te perdoar depois. É bobinha, coitada.*

Ok. Tá mais para um outdoor com luzes fosforescentes que piscam e ressaltam seus dizeres. Na real, eu estava farta de me decepcionar com minhas amizades. Agora, com aspas: "amizades". Como as pessoas podem se tratar dessa forma? É como se eu fizesse tudo por pessoas que não mereciam coisa alguma. Pessoas que não se importavam de me decepcionar nem de me deixar triste. Pessoas que ficaram pelo caminho e não fizeram esforço para me alcançar. Apenas... pessoas.

Deve ser algum tipo de carma que o homem lá de cima colocou pra mim: *"Essa daí vai ser superbem-resolvida, terminar relacionamentos vai ser sua especialidade. Por outro lado, vai confiar em pessoas que não merecerão sua confiança. O problema dessa garota vai ser as amizades. Está decidido. Podem mandar para a maternidade"*.

E assim eu vim, inocente, achando que a vida seria fácil. Olha, não é. Para começo de conversa, eu gostaria de entender qual é a lógica da cabeça de alguém que abandona todos os seus amigos porque um(a) namoradinho(a) pediu. Quem precisa de amigos quando tem um namorado-psicopata-que-te--pede-para-parar-de-conversar-com-todos-os-seus-amigos, não é mesmo? NINGUÉM!

Eu estava meio tonta e, de noite, na cama, enquanto não pegava no sono, me recordei de algo que preferia não ter lembrado que um dia aconteceu. A minha primeira e mais traumática decepção com amizades veio do Dudu, que era o meu melhor amigo desde os dez anos de idade. Na época eu tinha dezoito anos e fui pega de surpresa. Assim mesmo, PÁ! Na cara.

— Bela, a gente precisa conversar sério — disse ele.

Notei que ele estava suando mais do que o normal para um dia frio em Juiz de Fora. Dali não poderia vir coisa boa.

— O que foi, Dudu? Tá precisando de ajuda de novo pra pedir dinheiro pro seu pai? Pode falar com ele que é meu aniversário, ele já deve ter se esquecido de que dois meses atrás você disse a mesma coisa — brinquei.

Eu tenho essa péssima mania de tentar quebrar o gelo dizendo algo aleatório que nada tem a ver com a pauta principal. Vai que... né? Odeio esse lance de precisar conversar a sério com alguém.

— Não é isso Bela, é a Maria. De novo — continuou.

Era impressão minha ou o Dudu, além de estar suando em bicas, estava mais branco do que o normal? O que será que tinha acontecido? Maria era a namorada do Dudu. Uma menina simpática, bonita, inteligente. Fiquei feliz quando ele me contou que estava namorando. O Dudu nunca tinha sido muito de namorar e se ele sentia que por essa garota valia a pena correr o risco, então eu apoiava, com toda a certeza.

— O que aconteceu com a Maria? Ela tá mal com alguma coisa? Sofreu um acidente? De novo o que, Dudu? Fala logo, desembucha!

— Isabela...

Ele nunca me chamava de Isabela. Meu estômago embrulhou todinho, como quando eu chegava em casa e encontrava a minha mãe sentada no sofá com cara de poucos amigos. Era assim que ela começava a frase: "Isabela... A coordenadora do colégio ligou...". E aí meu mundinho colorido e iluminado desabava. Eu não sabia o que ele ia dizer, eu só sabia que acabaria comigo. E dessa vez a coordenadora do meu antigo colégio nada tinha a ver com isso.

— A Maria pediu que eu escolhesse: ou ela ou você.

— COMO ASSIM?

Que se dane que eu estava no meio de um restaurante. Eu gritaria ali independentemente dos olhares ansiosos das pessoas ao redor. O que ele estava dizendo? Escolher o quê? Escolher para ser o par no baile de fim de ano do colégio? É. Era isso, claro. Eles já estavam discutindo o baile do colégio, só podia ser isso. E a Maria, inocentemente, achou que ele pudesse me escolher como seu par, visto que íamos juntos todos os anos. Mas tudo bem, eu não queria ser o par do Dudu este ano. Ele devia escolher a Maria, sua namorada, é óbvio.

— Calma, Isabela, fala baixo. Tá todo mundo olhando pra gente.

— Tá, acalmei. Já entendi. Ela tá falando do baile anual do colégio, não é? Tudo bem, eu entendo, aliás, nem tem o que entender. Ela é sua namorada, HELLO! É óbvio que ela vai ser o seu par. Pode dizer que até ajudo a escolher o vestido, se ela quiser.

Eu tenho um problema e ele é: toda vez que fico muito nervosa, desato a falar tudo que me vem à mente. Mesmo que não faça sentido algum.

— Isabela... para. Olha pra mim. Você entendeu muito bem o que ela quis dizer — devolveu ele, com gravidade.

Não, não, não. Isso não estava acontecendo comigo. Alguém me belisca, é um sonho? Porque, se for, eu quero acordar.

— O quê... o quê... o que ela disse, Eduardo? Por que isso? O que eu fiz?

E então abri o berreiro, é evidente. Nesse momento as pessoas do restaurante já tinham parado o que estavam fazendo para observar a cena.

— Você não fez nada, fica tranquila. Mas, desde o dia em que ela te conheceu, ela pôs na cabeça que a gente não é amigo coisa nenhuma. Que você é...

Ele hesitou antes de dizer o que eu já sabia:

— ...a fim de mim.

— O quê?????? Louca, LOUCA, é o que ela é. Eu nunca ficaria com você, e não leve pro lado pessoal, só que seria a mesma coisa que beijar um irmão! UM ABSURDO! Se eu ainda fosse aquele tipo de "amiga" — gritei, gesticulando aspas com ambas as mãos —, ela podia reclamar. Mas que tipo de amiga eu sou? Aquela que chama a namorada do amigo pra ir à sua casa, recebe bem, tenta fazer com que ela se sinta entrosada no nosso meio... EU TÔ ERRADA, EDUARDO? Me diz! Anda! Eu fiz de tudo pra essa tal de Mariazinha se sentir bem do nosso lado. Tudo. Essa vaca... — minha voz começava a falhar.

— Não, Bela. Você não tá errada. Ela é que está cega de ciúmes, ela tem ciúmes até da minha irmã, acredite — prosseguiu ele, envergonhado.

Ciúmes da irmã? Da *irmã?* Querido amigo, está na hora de internar a sua namoradinha, e se precisar de ajuda estamos aqui. A raiva estava começando a tomar conta de mim, finalmente.

— Hum. E você falou o quê? — O desespero tinha passado, eu só queria saber qual seria a decisão dele diante disso tudo.

— Bela, eu... eu... o que eu podia fazer? — choramingou, em tom de desculpas.

Peraí, VAI SE DESCULPAR? Era isso mesmo que eu estava ouvindo?

— Do que você tá falando, Eduardo?

— Não me chama de Eduardo, por favor.

— Chamo, sim, E-du-ar-do. O que você respondeu pra ela? Hein?

Eu já sabia o que ele ia dizer, porém, precisava ouvir da boca dele.

— Eu disse que... que... você ia entender, se a gente, tipo assim, se afastasse por uns tempos... até...

Foi aí que me levantei da mesa.

— Até nunca mais. Passar bem. Espero que você nunca se separe dessa garota. Porque você acaba de perder a única amizade verdadeira que conseguiu cultivar até hoje. Você tá certo, ela pode ser a mulher da sua vida, vai fundo. Mas se ela não for...

E saí, deixando pra trás um Eduardo estático, branco e sem reação.

Continuei a chorar, chorar e chorar. Como podia ser tão idiota assim? Sabe quando seu melhor amigo arruma uma namorada e você fica tão feliz, tão feliz, que faz de tudo para ser amiga da tal garota também? Fiz isso. Quando ela recorreu a mim na primeira briga deles, ajudei. Quando ela precisou de um vestido para a festa de aniversário do pai dele, emprestei. Quando ela me mandava mensagens pedindo conselhos em relação ao Dudu, eu parava tudo o que estava fazendo para ajudar. Só podia ser uma pegadinha, era isso. Eu estava numa pegadinha do Silvio Santos e, provavelmente, as pessoas estavam rindo de mim agora. Mas a mensagem piscando na tela do meu celular só confirmava o que eu queria negar:

Bela, vc foi embora antes q eu pudesse dizer tudo o q queria dizer. Vc eh a melhor amiga do mundo, e eh por isso mesmo q eu achei q vc fosse entender. Eu gosto da Maria, de vdd. Sei q ela está exagerando na reação, q está sendo ciumenta, louca, possessiva. Mas o que posso fazer? Vc mesma diz q não escolhemos de qm vamos gostar. Eu não escolhi. Espero que vc entenda, e q num futuro próximo a gente possa voltar a ser amigos.

Preciso dizer que esse futuro próximo nunca chegou? Não, né? Hoje, tenho 22 anos. Já tem é tempo que o Dudu se foi ou, melhor dizendo, foi levado. Não nego, no início foi muito difícil perder um amigo tão próximo por causa de uma besteira. No entanto, aprendi que algumas pessoas precisam ir para que outras melhores cheguem. É como se no nosso coração tivesse apenas alguns poucos lugares, e se não expulsarmos aqueles que não mais nos acrescentam nunca poderemos conhecer os próximos da fila. O lugar que antes era ocupado pelo Dudu hoje é ocupado pelo Pedro.

Que, inclusive, me conheceu pouco depois do episódio do restaurante.

Foi na festa de despedida do meu colégio. Eu sabia que ia me encontrar com o "casal vinte" por lá, sabia. Pensei em inventar alguma desculpa para não comparecer, talvez fingir uma viagem urgente para a cidade da minha família, um desmaio enquanto me arrumava, um trabalho que precisava ser entregue no dia seguinte... E quanto mais eu pensava, mais me sentia uma covarde querendo fugir dos problemas. Eu não fugiria. Precisava olhar cara a cara aquele que havia me traído. O traíra. O idiota. O babaca. O trouxa. O Eduardo. Estava resolvido, eu iria a essa festa e me sentiria bem. Sim, era fácil. Bastava me lembrar sempre do que minha mãe havia me dito mais cedo: "Vai ficar triste por quê? Quem perdeu foi ele". E que assim fosse.

 O problema de brigar com alguém que sempre foi o seu melhor amigo é um só: não ter a quem contar as novidades do dia a dia. É cruel ficar sabendo que o seriado preferido de vocês volta ao ar em dois dias e não poder dividir isso com ninguém. Nem poder contar sobre a última daquele garoto da sua rua, do qual você estava a fim e que, surpreendentemente, resolveu te convidar para sair. E foi assim que me senti quando, ao passar perto do Eduardo, tive que me forçar a virar o rosto para o outro lado só para não encará-lo. É estranho cruzar com alguém que sabe tudo sobre você e sequer dizer oi. Nem perguntar se está tudo bem. Nem contar sobre o dia de hoje. Nem confessar que está morrendo de saudade.

Tive que me refugiar num canto da festa para respirar melhor, pois eu estava sufocada com um sentimento ruim cujo nome eu não sabia. Um misto de agonia, saudade e raiva. Seja lá qual for o nome desse sentimento, eu não o desejo nem para o meu pior inimigo.

— Ei, tem fogo?

De repente meus pensamentos foram interrompidos por um estranho que pedia fogo. Que beleza! Nunca me diverti tanto em uma festa!

— Não, não tenho — respondi, ríspida, enquanto enxugava o resto das minhas lágrimas com a manga da blusa.

Tudo que eu NÃO precisava era um estranho com pena de mim.

— Hum... Tudo bem.

Ele se aproximou de uma garota de cabelos pretos, provavelmente para pedir seu "fogo". Ótimo. Agora eu poderia voltar aos meus sentimentos. O Eduardo, nossa, O EDUARDO. Como ele foi capaz de fazer isso comigo? Ei... Que cheiro insuportável. Como eu odiava cheiro de cigarro.

— Garoto, dá pra fumar longe de mim?

E me virei para encará-lo. Ele certamente não frequentava o meu colégio, não mesmo. Eu teria me lembrado dos olhos azuis, olhos tristes. Devia ser por isso que ele fumava, né? Já li em algum lugar que pessoas tristes fumam mais. Vai saber. Ele causava um impacto, com suas calças rasgadas, a jaqueta de couro e o All Star surrado. Tudo isso contrastava com os cabelos rebeldes, a barba por fazer e a aura de mistério. Quem era esse garoto?

— Linda, você tá na área de fumantes. Se tem alguém errado aqui é você, não eu.

E, ao dizer isso, ele desencadeou tudo o que eu estava remoendo dentro de mim. Foi como dar um peteleco numa fileira de dominós e observá-los caindo, um por um.

— Eu, errada? É claro. Eu SEMPRE sou a errada. Eu sempre sou a pior amiga, a pior namorada, a pior companhia para a área de fumantes. Eu faço tudo errado, tudo, tudinho. Não adianta quantas vezes eu tente fazer dar certo, vai sempre dar errado. Aliás, a vida não adianta de nada. No fim, só vai sobrar uma pilha de decepções para lidar. E, claro, a errada sempre serei eu — desabafei, em meio às lágrimas que agora caíam de novo.

Que se dane. Eu precisava extravasar tudo o que estava pensando.

— Você é meio doida — zombou o estranho.

Meio doida? Era isso que ele tinha a dizer sobre o meu desabafo? SÓ ISSO? Eu devia ser doida mesmo, e isso era uma memória que minha mente estava criando. Na verdade, eu estava torcendo por isso.

— Cala a boca.

Ofendi o cara do casaco de couro. Podia eliminar isso da minha listinha de cem coisas arriscadas para fazer antes de morrer.

— Tudo bem, calma. Me conta o que tá te deixando assim, vai? É algum garoto? — questionou, com a expressão preocupada e aqueles olhos azuis intensos.

Olha, eu não sabia quem era ele, mas quem se importava? Eu precisava contar a história para o maior número de pessoas, porque eu queria escutar milhões de vezes que eu não havia feito nada errado. Eu tenho mesmo essa necessidade de afirmação, admito. Quem não tem?

E aí desabafei tudo. Contei sobre o Dudu, sobre a Maria, sobre o vestido que havia emprestado a ela e sobre o nosso seriado preferido que havia voltado e eu não tinha mais com quem compartilhar.

— Nossa, você também vê *Dexter*? Adoro aquele cara!

Era isso que ele tinha a dizer?

— Tá, eu também adoro o Dexter. Mas você escutou o que eu disse sobre o Eduardo, a Maria e tudo mais? Eu tô errada? Me diz?! — insisti.

Ele tinha de dizer que eu estava certa.

— Ah, ouvi. Só que não achei tão interessante, não tão interessante quanto você ver *Dexter*... Você tá torcendo para ele ser descoberto pela polícia ou não? Eu tenho uma teoria de que os produtores da série estão só esperando a última temporada para fazerem o Dexter ser assassinado por algum *serial killer*...

— Nossa, essa é mesmo uma teoria boa, e... olha, depois a gente fala do Dexter, tá? Eu tô meio que passando por algo aqui.

— Tudo bem, tudo bem. Você é muito ansiosa, menina. Sobre o seu pequeno probleminha eu só digo uma coisa, você vai se importar com pessoas que te viram as costas? — mandou o estranho, com a maior naturalidade do mundo, pá!, na minha cara.

E aí? Eu me importava com quem me virava as costas?

— Eu... é... não sei. Eu não queria que ele tivesse me virado as costas. Só isso.

— Sim, é natural desejar que tudo tivesse sido diferente do que aconteceu. Mas aconteceu. E o que você precisa fazer?

— Dar um soco na cara dele na próxima vez que o encontrar? — perguntei, arrancando uma gargalhada do desconhecido.

— Não, nossa... sei lá, mas tipo, tenta aceitar que, daqui em diante, mesmo que ele te peça desculpas, nunca vai ser a mesma coisa. Porque ele já abriu mão de você uma vez, né? E quem quer uma pessoa que a qualquer momento pode te deixar?

— Hum, ninguém? Ei... qual seu nome?

— Pedro. E o seu, chorona?

— Isabela.

Eu estava sem palavras, coisa rara de acontecer. Essa seria a primeira vez de muitas que o Pedro me deixaria sem palavras. E foi assim que eu entendi tudo o que estava à minha frente o tempo todo: eu não precisava de quem não precisava de mim. Eu não devia implorar por uma amizade que não fazia questão alguma de se manter na minha vida. O que é de verdade fica a seu lado, sem que você peça. Como esse querido estranho, sobre o qual eu não tinha nem ideia, mas que se tornaria o meu melhor amigo. E como se precisasse completar mais alguma coisa, ele disse:

— Eu terminaria um namoro por você. Sério. Você assiste ao *Dexter*!

E nós dois rimos. Rimos muito. E pela primeira vez, em duas semanas, eu me senti bem, me senti feliz, senti como se todo o peso que carregava nos últimos dias tivesse sido tirado de cima de mim.

A vida é mesmo engraçada. Em um momento estamos querendo nos trancar no quarto, chorar até o travesseiro precisar ser substituído por outro, enquanto nos cercamos de lembranças boas de pessoas não tão boas assim. Até que algo ou alguém vem te resgatar desse luto idiota e te faz querer abraçar o mundo rodopiando ao som da sua música favorita. Nesse dia eu decidi que pararia de sentir pena de mim mesma por não ter mais um melhor amigo e passaria a ter pena do Eduardo, que perdera a melhor amiga que ele poderia encontrar na vida. Era isso.

— Ei, você quer dançar? — propus, puxando o Pedro, o cara que eu acabara de conhecer (às vezes eu abro exceções, ok?), pro meio da pista.

E essa foi uma das melhores noites da minha vida.

...

Amigo que te larga porque a namorada pede, confirma. Amiga que fica com seu ex-namorado na sua frente, confirma. Minha vida era mesmo um filme, de comédia, é claro. Mas não tem problema, sabe por quê? Porque com as decepções eu aprendi que o mundo gira, ô, se gira. Pode demorar, mas o troco vem a cavalo e, ao contrário do que dizem por aí, ele não vem na mesma moeda. Vem em uma moeda bem mais cara.

Sabe o Eduardo? Descobriu alguns meses depois que seu melhor amigo ficava com a sua namorada pelas costas dele. Isso mesmo. Durante as festinhas na casa dele, o melhor amigo dava "uns beijos" na Mariazinha escondido na cozinha. No quarto. Na garagem. Na cidade toda. E o que o Eduardo fez? Isso mesmo, veio me pedir desculpas. Lamentei o que aconteceu com ele, coitado, traído pelo "amor da sua vida" e pelo "melhor amigo". Fatídico. Perguntei se eu poderia fazer algo para ajudá-lo, quando fui surpreendida por sua resposta:

— Voltar a ser minha amiga.

Voltar a ser sua amiga? Pensei: como? Sua amiga ficou lá naquela festa do colégio na área de fumantes. Ela morreu naquele dia, mudou, cortou e pintou os cabelos, conheceu novas bandas, novos seriados, arrumou novos namorados e até novos melhores amigos. Eu não era a mesma pessoa de anos atrás, e ele, provavelmente, também não.

— Você tem que aprender a conviver com suas decisões — eu disse. —Decisões são planejamentos do seu futuro e, assim como o passado, elas não podem ser desfeitas.

Eu já perdi a conta de quantas amizades "verdadeiras" abandonei pelo caminho da vida. Triste? Não. Fico feliz por ter me livrado de pessoas vazias que, na primeira oportunidade, pularam fora. Não quero ninguém que não possa aguentar um problema, que não consiga lidar com uma discussão e que não saiba passar por cima de dificuldades por aqueles que ama. Quero pessoas verdadeiras, intensas, que chorem comigo, sorriam comigo, me xinguem e, logo após, venham me dar um abraço. Isso é ser amigo, isso é gostar de verdade.

Com todas essas idas e vindas eu aprendi uma coisa muito boa: o tempo não quer dizer nada. Um amigo de anos não é mais verdadeiro só porque está há mais tempo na sua vida. Aquele garoto que você conheceu em uma festa qualquer e para o qual contou sua vida inteira no primeiro dia, sem entender o motivo, pode muito bem ser aquela pessoa que vai estar perto de você quando tudo desabar. Como foi com o Pedro.

A vida é assim mesmo... à medida que o tempo passa, as pessoas verdadeiras permanecem e as fracas vão ficando para trás. Temos que levar a vida como uma eterna viagem, na qual os momentos permanecem e as pessoas passam. E é isso, decepções acontecem. Nos sentimos uns idiotas por um dia termos acreditado, mas depois tudo se supera. Quanto àquelas pessoas que resolvem ficar pelo caminho, como o Eduardo, eu só desejo que não se arrependam. Porque eu não me arrependi.

Não temos como saber qual o melhor rumo a seguir, temos que escolher um e torcer para que seja o certo. Provavelmente, hoje, o Eduardo sabe que trocar uma amizade por um relacionamento temporário não é a melhor opção. E que fique a lição.

E, ah, Marina, sua hora vai chegar.

Você é uma péssima ideia e eu faço questão de ignorar isso todos os dias

Isabela Freitas / @IsabelaaFreitas

CAPÍTULO 6

Querido Cupido, desejo que você morra atingido pela própria flecha

Sabe aqueles dias em que você fica se revirando na cama porque sabe que, se acordar, vai ter que enfrentar o mundo? Então. Hoje eu estava assim. E, olha, não é só por ser uma covarde. Porque eu sou. É que hoje eu realmente estava precisando de umas férias de todo esse drama que me cerca. Fim de namoro, melhor amigo em intercâmbio (eu já contei que o Pedro tá na Austrália, né?), punhalada nas costas pela pseudoamiga-de-balada, ex-namorado me mandando mensagem... Opa, ESPERA AÍ. Isso era uma mensagem do Gustavo no meu celular?

Isabela, precisamos conversar. Sei q provavelmente vc não quer me ver nem pintado de ouro, como vc sempre diz, mas preciso te ver. Espero que entenda. Passo hoje na sua casa 4h.

Às quatro? Que horas eram? Deus, eu estava por tanto tempo na cama que até esqueci que tinha uma vida social apitando no celular, ou, pelo menos, o que me restou de vida social. 15h49. Ótimo. Agora, além de encontrar meu ex-namorado, o que por si só já é uma decadência, eu ia encontrar o meu ex-namorado com o meu cabelo sujo, o rosto amassado e sem nem um corretivozinho pra tirar as olheiras. Que se dane também. O Gustavo não merecia minhas maquiagens caras que suei tanto pra comprar. Aliás, o Gustavo não merecia nem que eu colocasse uma roupa pra recebê-lo. É isso. Resolvi receber o meu ex-namorado de pijama, cabelo pra cima e cara de ontem. Talvez assim ele se tocasse de que não era bem-vindo. Seria engraçado se não fosse trágico.

Isso me fez lembrar a Talita, uma garota peculiar que estudou comigo no cursinho de inglês. A Talita era do tipo namoradeira, todo fim de semana tinha um encontro com alguém diferente. O que a diferenciava da maioria das meninas é que ela costumava marcar encontros pela internet, assim mesmo, sem nem conhecer os caras. Bastava alguns dias trocando mensagens e lá estava ela dizendo sobre seu novo "achado" na rede.

— Muito melhor conhecer pessoas pela internet — afirmava.

— Mas, Talita, e se o cara for um psicopata? Diz minha mãe que tá cheio deles por aí — eu tentava argumentar.

— Que nada, isso é coisa de reportagem do *Fantástico*. *Hello!* O máximo que pode acontecer é ele ser muito chato, ou muito feio, ou ter bafo. E nesses casos eu tenho uma técnica especial.

— E qual é?

— Arrote na frente dele. Simples. Se ele não desistir, peide. Fale alto, de boca cheia, com os dentes sujos. Sempre funciona.

Me pergunto onde a Talita foi parar, será que ainda estava viva? Bom, não sei, só sei que hoje talvez eu precisasse usar suas habilidades.

O som da campainha. Poxa vida, por que meu estômago estava doendo como se algo muito ruim fosse acontecer? Era só um ex-namorado inofensivo, só isso. Se acalme. Respire fundo. Enfrente a fera.

Abro a porta, e lá está o Gustavo me esperando. O topete até brilha de tanto gel de cabelo.

— Er... oi. Me atrasei um pouco, né?

Olho o relógio: 16h05. Quem se importa? Vendo minha cara de indiferença, continua:

— Posso entrar?

— Fazer o quê... — digo, enquanto me afasto da porta para que ele entre.

Eu não sabia se deveria reparar, mas o Gustavo havia ganhado uns quilinhos desde a última vez em que estivemos juntos. Obrigada, Deus, por mais essa graça. Nada melhor do que ver o ex-namorado engordando.

— Então, desembucha. O que você quer?

— Você não muda nunca, né? Sempre mal-humoradinha...

Será que ele estava achando que nós éramos alguma espécie de amigos? Isso era um sorriso no rosto dele? Olha, não sabia que caras de pau conseguiam sorrir.

— Gustavo, corta essa, ok? Vai direto ao ponto.

— Tudo bem, tudo bem. Não estamos de bem com o mundo hoje, hein? — responde, analisando o meu estado.

Pijamas velhos, ok. Rasgados, ok. Cabelo desgrenhado, ok. Rosto amassado, ok. Só me faltava arrotar.

— Que nada, eu estou superbem hoje. Do contrário nem concordaria em te receber.

— Hum, é. Eu vim aqui para explicar aquele lance que rolou ontem lá na festa.

Espera aí, era isso então? Ele havia gasto gasolina, tempo, saliva, tudo isso para explicar o que tinha acontecido? Eu sabia muito bem o que tinha acontecido, ora, tenho dois olhos. Não sou cega.

— Explicar o quê?

Resolvi me fazer de boba. Vai que funciona e ele acaba desistindo dessa besteira que é se explicar pra ex?

— Sobre a Marina. Não adianta fingir que não viu, eu sei que você viu. Me falaram até que te viram chorando e...

— Espera, espera. Me viram chorando? E você supôs que fosse por causa de você? Há-há. Faça-me rir, Gustavo. Sabia que o mundo não gira ao seu redor? Não? Pois fique sabendo.

— Isabela, você não precisa fingir pra mim. Pode falar a verdade.

Por que os homens tinham essa mania de achar que eram importantes e únicos na vida de todas as garotas com as quais já tinham tido um caso? Queria ter essa autoestima, viu?

— Olha, você ficou com a Marina, tudo bem. Achei ridículo? Achei. Achei desnecessário? Também achei. Achei que você estava fazendo isso só pra me atingir? Tive certeza. Mas chorar por isso é algo que eu jamais faria, aliás, chorar por você, Gustavo? Pensa bem...

Pela expressão no rosto dele, pude perceber que em momento algum a ideia de que ele não merecesse o meu choro havia passado por sua cabeça, e agora ele já se arrependia de ter ido ali na minha casa fazer papel de otário. Eu estava começando a gostar disso.

— Eu achei... eu achei que... você... arrependeu e... — ele gagueja.

— Se enganou. Eu não me arrependi. Inclusive, vai fundo. A Marina é uma garota e tanto.

— Não precisa debochar.

— Que mania é essa de achar que tudo que eu falo é deboche? Eu, hein! Tô falando sério!

— Ela não faz o meu tipo.

— Eu percebi ontem, não faz mesmo. Imagina só, Marina-aquela-morena-gostosa-dos-olhos-verdes? Nunca.

Tudo bem, talvez eu estivesse tendo um ataque de ciúmes, mas quem ligaria? Ele era meu ex-namorado, e eu não queria que nenhuma amiga minha ficasse com ele. Pelo menos que esperassem o corpo do defunto esfriar.

— Eu tinha bebido demais, ela me puxou... quando eu vi...

— Já era tarde. Típico. Tá tudo bem, de verdade. Eu sabia que mais cedo ou mais tarde teria que ver você com outras pessoas, só não imaginava que seria com a Marina, já que você sempre fez questão de ressaltar que ela era uma má influência pra mim.

Tive que cutucar. Isso estava entalado na minha garganta. O Gustavo odiava a Marina, tipo, odiava mesmo. Dizia que de todas as minhas amigas ela era a pior. *Marina? Aquela sua amiga piriguete que dá em cima de todos os caras? Credo. Você devia cortar relações com ela.* Estou vendo, Gustavo. Eu corto e você começa. Combinamos direitinho.

— E ela é. Você não deveria andar com ela por aí, vai ficar malfalada — ameaça, encarando os próprios pés.

Ele podia ao menos ser homem, olhar nos meus olhos.

— Mas, pra ficar com ela, todo esse lance de ser malfalada não importa, né? Bom saber como vocês, homens, pensam. No meu próximo namoro estarei alerta, se o cara criticar muito uma amiga minha é porque quer ficar com ela. Selado.

Eu devia estar gritando mais que o normal. Tomara que meus vizinhos tivessem fones de ouvido.

— Não é isso, Isa.

— Isabela — corrijo.

— Isabela. Não é isso. Acho que, na verdade, eu estava tentando te atingir mesmo, e ela era o modo mais fácil, digamos assim. Você não percebe? Eu estou sem rumo. Você acha que é fácil pra mim a nossa separação?

— Eu acho. Tá sendo fácil pra mim. Siga o exemplo.

— Como você pode ser tão fria assim? Nem parece você — diz ele, com os olhos cheios de lágrimas.

Não, não, não. Sem chorar, Gustavo. Você consegue.

— Não é questão de ser fria, Gustavo. É questão de saber o que é melhor pra mim. E o melhor pra mim não é a seu lado. Simples.

Eu estava sendo sincera. Por dois anos carreguei um namoro nas costas e, olha, não era fácil sorrir quando minha vontade era gritar. O Gustavo me sufocava, sugava minha energia.

Sem ele é como se eu tivesse nascido novamente. Uma fênix renascendo das cinzas. Era assim que me sentia nessa minha nova fase.

— Olha — continuo. — Você precisa aceitar. Só assim vai dar pra seguir em frente.

Eu estava vendo isso mesmo? Isabela consolando seu ex? É. Hoje eu estava mesmo bem-humorada.

— Eu não quero seguir em frente. Eu queria poder resolver nossos problemas, eu juro, Isabela, juro que vou mudar. Vou ser o tipo do cara que você sonha ter ao lado. Vou deixar de ser tão ciumento, eu prometo. Juro por tudo que é mais sagrado.

Eu sorrio. É engraçado como as pessoas só resolvem ser o melhor que podem ser quando perdem seus pares. Por que ele não foi esse cara desde o início da nossa relação? Por que guardar o seu melhor apenas para os momentos de desespero? Por que o melhor acaba ficando sempre em promessas que não são cumpridas? Por que não se esforçar para conquistar todos os dias a pessoa de quem você gosta e não só quando ela se vai? Por quê? Poderia ter dito isso a ele. Em vez disso, optei pelo caminho mais simples.

— Gustavo, não dá. Ok? Eu...

Quando tentava me desvencilhar dele, fui interrompida pelo som do meu celular. Hoje eu estava mesmo muito importante. Mensagem nova. E adivinhem só? Marina.

Amiga, preciso conversar com vc! Não lembro na-da do que fiz ontem!! Onde vc foi parar? Nem vi vc indo embora. Pas-

sei seu celular pro Evandro da academia, viu? Me responde, perua. Beijinhos.

Então, era isso? Um achou que eu estava chorando por causa dele, a outra se fez de boba. Eu estava cercada por idiotas, definitivamente.

— Quem era? — pergunta o Gustavo.

Alguém avisa a este garoto que nós não namoramos mais? Grata.

— Sua namoradinha — implico. — Olha, eu tô atrasada pra minha aula de francês. Estamos conversados, né?

Ele tinha que ir embora da minha casa em algum momento, não era possível isso.

— Isabela, eu ainda tenho um monte de coisas pra te falar, será que não dá pra você matar essa aula só por hoje? — pede, com aquele olhar de cachorro de rua.

Querido, não vai funcionar.

— Não, Gustavo. A questão é que já te dei chances demais. Durante dois anos acreditei em "dessa vez vai ser melhor", "agora eu vou mudar", "daqui pra frente não vai ser mais assim", "foi só dessa vez", "eu nunca mais vou errar assim com você". Perdoei mais erros que santinha de paróquia de cidade do interior. Eu cansei, C-A-N-S-E-I. Aceita que dói menos. Agora vem, vamos. Hora de ir embora. Minha mãe daqui a pouco vai chegar do trabalho e me perguntar por que coloquei o lixo pra dentro de casa — ele me encara sem acreditar no que eu acabara de dizer. — Gustavo, é uma *brincadeira*. Você está sentimental hoje, hein?

E, ignorando por completo o que digo, ele tenta mais uma vez.

— Você tem certeza do que está fazendo? — pergunta, enquanto segura a porta com uma das mãos, numa tentativa inútil de me convencer ali, nos seus últimos instantes.

— Tenho, como nunca tive antes. Passar bem, Gustavo. — E fecho a porta.

Ok, talvez eu tenha sido dura demais, mas é que eu não acredito que exista amizade entre ex-namorados em algum mundo, seja lá qual for. Se não foi bom como namorado, por que seria bom como amigo? Qual é, aquele cara não era capaz de perceber nem quando eu estava triste. E, poxa vida, nós, mulheres, gostamos que as pessoas ao nosso redor notem quando estamos precisando delas.

Foi assim no nosso último (literalmente) aniversário de namoro. Naquela época, meu avô, pai da minha mãe, estava há uma semana no hospital se submetendo a uma bateria de exames para saber se o seu tumor na próstata era maligno. Minha mãe estava um caco, chorava o dia inteiro pelos cantos da casa, e quando ninguém observava, abraçava a santinha que guardava na cômoda do lado da cama e pedia a ela que olhasse pelo meu avô. Era de cortar o coração, o clima na minha casa estava pesado demais. Eu sentia como se tivesse que fazer alguma coisa, ao mesmo tempo que sabia que nada que eu fizesse ajudaria. E eu odeio me sentir assim, impotente.

Então não me culpava por estar tão desanimada no dia do nosso aniversário de dois anos de namoro. Minha vontade era ficar debaixo das cobertas, no escuro do meu quarto. Mas fiz um esforço, porque sabia que o Gustavo havia reservado uma mesa no meu restaurante preferido. O problema é que ele estava agindo como se tudo estivesse bem, e isso me irritava um pouco. Tá, isso me irritava muito.

Ele sabia tudo o que estava rolando com o meu avô, porém parecia que, aos olhos dele, isso pouco importava. Em momento algum perguntou como eu estava lidando com toda aquela situação, se eu estava precisando de apoio, de um ombro para chorar. Em momento algum mostrou preocupação com o que eu estava vivendo, e isso me fez perceber que os dois anos anteriores haviam sido exatamente assim. Eu, cega, nunca notei. Foi preciso que meu avô adoecesse para eu perceber que o Gustavo ignorava o que eu sentia. Desde que eu estivesse ali ao lado dele, sorrindo, e sendo sua namorada perfeita, tudo estava perfeitamente bem. Que se danem os sentimentos, não é mesmo? Sentimentos são complicados demais. Melhor ignorá-los.

— Quer que peça um champanhe, amor? — ele pergunta.

— Não tô no clima, Gustavo. Vamos só pedir algo para comer e ir para casa ver um filme, tá? — tento desviar.

— Poxa! Mas é nosso aniversário de dois anos. Pede uma comemoração em alto estilo! Por favor, só uma taça para brindar? — insiste.

— Para mim já estamos em alto estilo.

Será que era preciso que eu escrevesse na testa "estou triste, porra" para que ele percebesse? Acho que sim.

— Nossa, você tá muito chata hoje. Foi algo que eu fiz? Por que você está assim? — Ele não pode ser mais estúpido; sempre se superando.

— Claro, claro, foi algo que você fez. Porque o mundo gira ao seu redor, né?

— Eu não consigo imaginar nenhum motivo que possa estar te incomodando num dia lindo como este. A não ser que eu tenha feito besteira. Mas tudo bem, deixa para lá. Vamos pedir nossa comida — conclui, enquanto pega o cardápio da minha mão.

Foi nesse momento que me levantei e parti em direção à porta do restaurante decidida a pegar um táxi de volta pra casa. Chega de me sacrificar em prol da felicidade dos outros, eu estava cansando disso. Seria impossível aguentar uma noite inteira ao lado de um Gustavo que achava que era minha obrigação estar feliz, sorrir e acenar, embora minha vontade fosse desabar nos braços de alguém, qualquer um que fosse, um desconhecido, contanto que me escutasse e enxugasse minhas lágrimas, por favor. Espiei por cima dos ombros e notei que ele não se movera da mesa. Continuava a ler o cardápio como se fosse um livro interessantíssimo. Olha, eu não duvidaria nada que o Gustavo sequer tivesse reparado que eu havia me levantado da mesa. Pra falar a verdade, tinha quase certeza de que ele não tinha mesmo se dado conta disso.

E, nesse instante, como se ouvisse minhas preces, dou de cara com ninguém menos que o Pedro, acompanhado de uma das suas mulheres (acho que se chamava Fabiana). Muito bonita por sinal, eu precisava me lembrar de dizer isso a ele depois. Eles estavam esperando que vagasse uma mesa.

— Ora, ora, quem eu encontro por aqui — ele fala, me puxando para um abraço caloroso que eu não tenho vontade alguma de soltar.

— Oi, Pedro, oi, Fabiana. Desculpa ser deselegante, mas já estou indo embora. A gente se fala depois.

Eu não desabaria na frente dessa "namoradinha" do Pedro. Aliás, o nome dessa era Fabiana mesmo? Eu sempre me confundia.

— Espera aí, mocinha. Tem alguma coisa errada, não?

Até o Pedro sabia que eu não estava bem em, o quê?, dois segundos? Qual era o problema do idiota do meu namorado? Ah, sim. Ele era um idiota.

— Não, eu estou ótima. De verdade, estou bem mesmo. Só tive uma discussão boba com o Gustavo, nada demais. Preciso ir para casa. Tchau, gente — digo rapidamente antes que o Pedro tenha a chance de me arrastar pelo braço.

Coisa que ele, claro, faz.

— Branquela, me diz o que tá acontecendo? — insiste.

E eu não sei o que foi, se foi o timbre suave daquela voz tão conhecida, ou se foram os olhares piedosos da Fabiana pra mim, eu desmontei. Como sempre, publicamente, sem vergonha alguma de parecer ridícula.

— Ah, Pedro. Eu não aguento mais. Simplesmente não aguento. Eu queria que o Gustavo fosse um cara legal, e eu acreditei que ele seria capaz de se tornar esse cara. Mas ele não consegue ver nada além do próprio umbigo. Hoje eu tô aqui supermal pelo meu avô, que está doente, e ele está mais preocupado com o champanhe que vai pedir! Não dá! Eu devo ter feito alguma coisa muito errada na minha outra vida pra merecer isso. Será que é tão difícil se importar com as outras pessoas? Não é possível!

Nesse momento a tal Fabiana já tinha encontrado uma amiga e não ouvia nada do que eu dizia. Ufa! Porque, como de costume, eu já estava chorando.

— Ai, Pedro… qual o meu problema? Por que tudo tem que ser sempre tão complicado?

— Não tem que ser. Você é que gosta de complicar.

— Claro que não.

— Claro que sim. Você já sabe o que deve fazer e fica aí adiando… — afirma ele, me encarando com aqueles olhos azuis.

— Eu… eu… é. Preciso ir, Pê. Não vou ficar chorando aqui no meio de todo mundo.

— Quer que eu te leve? Vem, vou te levar.

— Não precisa. Eu vou andando, é bom que eu penso um pouco. A Fabiana tá te esperando.

— Eu insisto. Vem, teimosa. Vamos pra casa. Hoje eu vou ser seu escudeiro. A Fabiana nem vai se importar, né? — ela faz que não com a cabeça, e eu deixo que os braços dele me envolvam.

Esqueci de dizer, eu não havia contado pro Pedro sobre o meu avô. É que, sei lá, eu sabia que ele ficaria preocupado e largaria tudo o que estava fazendo só para me ajudar. Como ele fez. E eu não queria isso. O Pedro tem a vida dele, eu tenho a minha. E eu precisava tentar superar meus problemas sozinha, sem envolver ninguém. Acho que nesses momentos caberia ao Gustavo todo esse lance de apoiar. Qual é, não é tão difícil assim. Mas foi o Pedro que notou quão miserável eu estava. E isso acabou comigo.

Incrível como o Gustavo não sabia que quando eu ficava muito quieta é porque estava triste. Nem que se eu tinha vontade de ir embora de algum lugar é porque estava com vontade de chorar. Nem que eu tinha tremores durante a noite por causa dos meus pesadelos. Nem mesmo que eu tinha uma cicatriz na mão direita, fato que ele percebeu apenas depois de um ano de namoro, e só porque contei. O Gustavo simplesmente não se importava. Descobrir que a pessoa que está contigo não se importa com você a ponto de nem conhecer as suas reações e sentimentos é frustrante. Eu demorei a me dar conta, verdade.

Mas nunca é tarde demais para tirar da sua vida pessoas que só fazem figuração. Pessoas que nunca participam das cenas principais, nunca participam dos seus melhores sorrisos, das lágrimas mais sinceras, dos gritos que libertam. Tenha a seu lado somente aqueles que tornarão o seu filme inesquecível e único. Não insista em dar oportunidade àqueles que já tiveram inúmeras chances e as desperdiçaram todas as vezes. Chances não devem ser jogadas no lixo como se fossem descartáveis. Para os capazes, apenas uma chance basta.

E é por isso que o Gustavo não tinha qualquer chance comigo. Não mais.

Se eu coloco na cabeça uma coisa, é só ela. Mais nada

Isabela Freitas / @IsabelaaFreitas

CAPÍTULO 7

Às vezes só precisamos libertar a garota má que existe aqui dentro

Ok, preciso confessar. Eu estava dando o maior mole para o meu primo. E daí? Quem nunca sentiu uma forte atração pelo primo gostoso que atire a primeira pedra. E digo mais, o meu primo é de quarto grau. Quarto grau. Há-há. De acordo com o Direito Civil, nós nem somos parentes, e o direito é o que rege as regras da sociedade, né? Sou uma boa cidadã. Ótima. Exemplar.

Enquanto releio nosso histórico de conversas no Facebook, me pergunto se não fui atirada demais. O que ele ia pensar de mim? Ah, que se dane. Nós somos primos. Pri-mos. Ele não tem que pensar nada de mim. Parente a gente tem que aturar independentemente do jeito que a pessoa é, mesmo que a parenta seja uma garota de 22 anos meio desesperada por um novo flerte.

Conversa iniciada
(20h12) Igor Tullon: E aí, prima ;)
(20h17) Isabela Freitas: Ei, primo! Desculpa a demora, não estava aqui no computador...
(20h17) Igor Tullon: tudo bem... como vc tá?
(20h17) Isabela Freitas: eu tô ótima... :) e vc?
(20h18) Igor Tullon: tô bem tb... encontrei sua mãe esses dias

na rua! ela me disse que vc terminou com aquele seu namoradinho, o gustavo. é verdade? terminou mesmo?
(20h19) Isabela Freitas: ah, terminei... não dava mais...
(20h20) Igor Tullon: hum, sei como é. terminei o meu namoro de cinco anos ontem. acredita???
(20h20) Isabela Freitas: vc terminou com a roberta? que isso! mas vcs pensavam em se casar :o
(20h21) Igor Tullon: pra vc ver como são as coisas prima ;) surpreendente, né...
(20h21) Isabela Freitas: nossa, demais... se precisar desabafar, afinal, o que não vai faltar entre a gente é assunto haha :p
(20h22) Igor Tullon: foi por isso que vim falar com vc. tenho saudade de quando éramos mais ligados, sabe? a gente conversava sobre quase tudo... te vi on-line hoje e pensei, pq não tentar?
(20h23) Isabela Freitas: saudade também, primo. é q a vida separou a gente né, o curso tá muito puxado, eu namorava, você também... acabava q eu não te via nem nas festas de família.
(20h23) Igor Tullon: verdade!! eu deixava de ir a muita coisa também... por causa do namoro.
(20h23) Isabela Freitas: ixe, sei bem como é isso...
(20h24) Igor Tullon: parece q vc passou pelas mesmas coisas q eu, hein?
(20h24) Isabela Freitas: acho que isso acontece com quase todo mundo, viu? é um círculo vicioso dos relacionamentos!!

(20h25) Igor Tullon: agora tô querendo abstrair, nada de relacionamento sério... desapegar disso de uma vez!
(20h27) Isabela Freitas: tô nessa onda também... preciso ficar um tempo sozinha, colocar as ideias no lugar...
(20h27) Igor Tullon: ei, quer sair pra tomar uns drinques como nos velhos tempos este fim de semana?
(20h28) Isabela Freitas: uai, eu topo! sexta?
(20h28) Igor Tullon: sexta, tipo 7. eu te pego aí ;) ainda lembro onde você mora! hehe
(20h29) Isabela Freitas: combinado ;) rs
(20h30) Igor Tullon: prima, vou saindo aqui... a gente se fala depois, e sexta-feira está marcado mesmo, hein? adorei conversar com você...
(20h31) Isabela Freitas: eu também adorei conversar contigo. beijos, primo!
(20h32) Igor Tullon: beijos, prima linda ;)

Prima linda, prima LINDA. Isso devia significar algo. Tipo, hum... que ele me achava linda? Que ele me achava linda a ponto de querer me beijar loucamente? Que ele me achava linda a ponto de querer desapegar de relacionamentos sérios a meu lado? Eu estava começando a gostar dessa ideia. E, olha, isso não costumava ser uma boa coisa.

Sexta-feira. Ufa! Passar a semana inteira fazendo dieta e me esquivando de todo e qualquer doce já estava acabando comigo.

Minha mãe chegou até a perguntar que promessa nova era essa que eu havia feito. Ah! Promessa. Só se eu estiver prometendo uma sexta-feira daquelas. Isso sim, querida mamãe. Pois hoje eu vou sair com o meu primo-de-quarto-grau-muito--gato-para-ser-apenas-um-primo. Fato esse com o qual a senhora não podia nem sonhar, claro.

Enquanto tomava meu banho, ri comigo mesma, lembrando-me de quando era mais nova e colocava o nome de todos os meus Kens de Igor Tullon. O Igor era minha paixão platônica desde que comecei a me entender por gente, foi paixão à primeira vista. O problema era um só. Cinco anos mais velho. Alto, forte, moreno, com um sorriso marcante. Simpático, estudioso, um garoto-família. Namorador, verdade, o que não era exatamente um defeito, já que torná-lo meu namorado era o último dos meus planos. Impossível, realmente impossível. Em que planeta um garoto como o meu primo olharia para uma garota como eu? E cinco anos mais nova? Nunca. Nunquinha. Então eu simplesmente me contentava em colocar o nome do meu Ken de Igor, e namorá-lo ali, por algumas horas, em meio a Barbies e histórias inventadas.

Se a Isabela de hoje pudesse dar um conselho para a Isabela do passado, esse conselho seria: "Seja paciente. Um dia tudo que você deseja vai se realizar". Pois aqui estava euzinha, me arrumando para um encontro com o meu primo. E tudo bem que seria um encontro despretensioso, pois nós dois estávamos de saco cheio de namorar e queríamos umas férias de toda essa carga emocional, mas ainda assim era um encontro.

Escuto o bipe de mensagem no meu celular. Será o Igor? Mas ainda são cinco horas...

Bela, q saudade... Q acha de encontrarmos sábado? Beijos, Tiago.

Tiago? Gente, o Tiago, que saudades dele! Tiago era um garoto com quem eu ficava antes de namorar o Gustavo. Nós nunca passamos de ficantes, nem sequer tivemos (nos demos) essa chance. Acho que isso era meio culpa do signo do Tiago, aquariano forte, não consegue se prender a uma só mulher, sabe como é? Então ele era mais uma pessoa para passar o tempo, sabe?

Olha, não me orgulhava disso, viu? Só que a carência às vezes falava mais alto e o Tiago me divertia. Com ele eu conseguia esquecer um pouco essa minha mania de sempre querer namorar, não sei se era porque eu já sabia que não teríamos nada ou porque não via nele os requisitos básicos para ser um bom namorado.

Mas era assim que acontecia comigo e com o Tiago: uma mensagem direta que praticamente dizia: "Ei, vamos ser sozinhos juntos?". E lá estávamos nós, compartilhando a solidão a dois.

Resolvi aceitar o convite, que mal tinha nisso? Eu estava me guardando muito desde o desastre da noite de sertanejo universitário. Precisava extravasar. Chega de ficar parada, moscando. Talvez não fosse tão errado sair com uma pessoa em um dia e com outra no dia seguinte. Afinal, eu estava solteira. S-o-l-t-e-i-r-a. E, se não me engano, estava lá nos mandamentos dos solteiros: "Ficar com uma pessoa não é sinônimo de compromisso". Uma lei universal que o Evandro, o Gustavo e a Marina fizeram questão de jogar na minha cara e, bem, estava na hora de eu praticar um pouco também, não é mesmo? Porém, com um pouquinho mais de decência...

Ok, vamos focar no dia de hoje. O Tiago é só amanhã.

Igor. Primo. Gato. Primo. Lindo. Primo. Maravilhoso. Primo. Que roupa seria melhor para um primeiro encontro com a minha paixão platônica de infância? Encarei o meu guarda-roupa, que, nessas horas, já estava vazio porque todas as roupas se encontravam espalhadas pela cama, e percebi que não tinha nada digno para primeiros encontros. Quando é que eu havia me tornado uma idosa? Oh, céus, eu precisava saber. Havia um tempo em que eu tinha deixado de comprar roupas que machucavam, dando lugar às que me faziam sentir bem. Nada de decotes, calcinhas enfiadas, sutiãs que apertassem até a alma. Ou seja, nada sexy. Nada de Igor babando por você. Parabéns, Isabela!

Decidi vestir um vestidinho vermelho-me-beije-agora com um decote nas costas. Decote nas costas é sexy, certo? E qual o problema de usar a calcinha de bolinhas que minha avó me deu no último Natal, se nós não iríamos chegar até esse ponto? Iríamos? Ai, Deus. Espero que não cheguemos até esse ponto, porque certamente o Igor não acharia nada legal a minha calcinha de bolinhas. E aí, adeus ficada despretensiosa com o primo mais gato do universo.

19h10

Olha, eu tenho um problema com horários, devo dizer. É que eu sempre me atraso para meus compromissos. Almoço com as amigas, aula de inglês, aniversário da minha tia-avó... Eu sempre me atraso para todo e qualquer evento social que possa existir. Menos para encontros. Encontros, não. Não sei se isso é porque, se tenho um encontro às sete horas, começo a me arrumar ao meio-dia, e mesmo assim ainda não acho suficiente, mas fato é: eu acho inadmissível atrasos para encontros. Ainda mais o primeiro. Tudo bem você se atrasar para a aula de inglês, quem liga? Sua professora não ficará chateada, no mínimo vai achar que você odeia a aula dela, o que não deixa de ser um pouco verdade, mas e nos primeiros encontros?

Respira, respira. O Igor deve ter pego um trânsito daqueles. Não viu o *Fantástico* na semana passada falando do quanto está difícil ter carro hoje em dia? Trânsito demais. Era isso.

Meu telefone toca, olho no visor e quase não consigo conter um gritinho de felicidade dentro de mim. É o Pedro!

— Pedro, seu idiota! Por que demorou tanto a me ligar?

— Talvez porque ligar da Austrália para o Brasil seja caro demais? — pergunta ele, sarcástico.

Deus, como senti falta desse sarcasmo.

— Quem se importa? Você é quem decidiu ir para a Austrália, o mínimo a fazer é ligar para os amigos sempre que der.

— Já tá com saudades, né, branquela? Pode falar! Aguenta firme, você resiste. E aí, o que me conta de novidade? Já arrumou um novo namorado? — ele quer saber.

— Hum, pra sua informação eu estou vivendo minha vida de solteira. Hoje mesmo tenho um encontro com um garoto. E amanhã tenho um encontro com OUTRO garoto — enfatizo, mostrando a ele que eu sabia, *sim*, ser uma solteira convicta.

— Nossa, é só eu ficar ausente por algumas semanas e você vira a deusa dos encontros. Tô orgulhoso!

— Tá?

— Não, é claro que não. Isso não faz parte do que você é. Mas eu fico feliz que você esteja experimentando novas coisas. Chega de namorado idiota nessa vida, né? — comenta, rindo.

— Ô, se chega. E você? Tá conseguindo manter seu namoro a distância? — pergunto.

— Que nada, Isa. Eu terminei assim que cheguei aqui. Não dá pra manter um rolo a oceanos de distância, né? Além disso, quero ficar sozinho aqui pra poder curtir mais...

— Sei. Garotas de biquíni. Garotas australianas bronzeadas. Não sei por que, mas tenho a impressão de que toda essa história de intercâmbio foi só para provar algumas bocas estrangeiras. Aprender inglês? Que nada!

— Bobona. Isso aí é consequência, de verdade. Vim aqui só pra me afastar desse Brasilzão... Estava precisando.

— Idiota.

— Oi?

— Idiota. Quando eu mais preciso de você aqui, você está na Austrália. Isso não é nem um pouco justo.

— Ôôôô, Isa... aconteceu algo mais por aí? — pergunta, com aquela voz que ele só faz comigo.

—Claro que aconteceu, Pedro. Aconteceram milhões de coisas. Eu fui pra uma balada sertaneja, acredita? Eu em uma balada ser-ta-ne-ja. Pois é. Só que não bastava ir a uma balada sertaneja, eu ainda fiquei com o Evandro da academia, que nem é da minha academia, mas você entendeu, ele é de alguma academia. E aí eu perguntei o signo dele pra Marina, ela não sabia, ela não sabia nem se o garoto tinha namorada, e aí o Evandro da academia ficou com uma nariguda na minha frente, assim mesmo, na cara de pau. E aí eu fiquei p. da vida, muito mesmo. Mas o pior ainda estava por vir, porque no fim da balada eu vi a Marina enfiando a língua na garganta do Gustavo. Do Gus-ta-vo, você acredita? E tudo bem que fui EU que terminei nosso relacionamento, mas isso foi uma falta de respeito, não acha? Ela é ridícula. E aí eu comecei a chorar, chorar muito, no meio de todo mundo. E a Amanda estava em casa vendo DVD com o namorado debaixo das cobertas, e você, você... estava sabe-se lá Deus onde! Só isso. E, pra piorar, depois o Gustavo veio aqui em casa me pedir desculpas. Aqui em casa! Dá pra acreditar? Eu não desculpei, é claro. E a Marina passou meu telefone pro Evandro da academia. E eu dei o maior mole pro meu primo, aquele Igor Tullon que eu te contei uma vez. Inclusive vou sair com ele hoje. E amanhã eu vou sair com o Tiago, o seu vizinho, sabe?, aquele com quem eu ficava. E eu tô aqui me sentindo sozinha porque você tá muito longe pra me aconselhar — desabafo.

Só assim vemos a falta que melhores amigos fazem em nossa vida.

— Calma, Isa. Peraí, você foi mesmo em uma balada sertaneja? Ahá. Essa eu pagava pra ver.

— Tá de brincadeira que eu narrei e interpretei o rascunho da Bíblia pra você e o fato que mais te chamou a atenção foi eu ter ido a uma balada sertaneja? Ai, Pedro...

— Ué, que o Gustavo é um idiota eu já sabia. Que a Marina não era sua amiga? Também sabia. Que você provavelmente cairia nos braços de algum bombadinho, sabia. Que o Tiago ia dar notícias assim que visse que você tirou o relacionamento sério do Facebook? Sabia. Que o seu primo nutria uma paixão secreta por você? Sabia. Agora, que você ia se render a uma balada sertaneja? Há-há-há! Essa foi a melhor do dia!

— Nossa, então que tal começar a me dar previsões do futuro, oh, querida e iluminada Mãe Dináh?

— Olha... você não está preparada para ouvir sobre o seu futuro. Mas, eu garanto, ele vai ser muito bom.

— Credo, Pedro. Foi só mudar para a Austrália que você ficou exótico. Pode ir parando, tá? — escuto o barulho do interfone tocando, finalmente deve ser o Igor. — Olha, eu vou ter que desligar. O Igor chegou pra me buscar — checo o relógio — meia hora atrasado, por sinal.

— Tudo bem, pequena. Vai lá, juízo. Se cuida aí. Eu não estarei por perto para te salvar.

— Ah, ok. Quem é que precisa ser salva, não é mesmo? Beijos, a gente se fala!

— Beijos, Isa. Te ligo de novo assim que der!

19h35

A minha vontade era dizer ao Igor que agora eu não queria mais, ora, que atraso era esse? Mas ele era o Igor. Igor Tullon. O meu primo de quarto grau, em quem eu tenho vontade de dar uns beijos desde que me entendo por gente. Tudo bem, ele podia atrasar alguns minutinhos.

Entro no carro.

— Nossa, você tá linda — diz, enquanto me dá um beijo, devo ressaltar, no rosto.

Reparei nele. Estava exatamente como eu me lembrava. No auge dos seus 27 anos, com os músculos saltando para fora da camisa xadrez, os cabelos pretos, lisos, que chegavam aos ombros. As tatuagens nos braços, os olhos também pretinhos. Ele estava perfeito, não fosse pela camisa enfiada para dentro da calça, que acompanhava um enorme cinto. Parecia um vaqueiro da cidade grande.

— Obrigada. Você também está lindo. E cheiroso. 212 Vip? Acertei?

— Na mosca. Adoro esse perfume.

"Eu não", pensei, e esse pensamento quase me escapoliu. 212 Vip é o perfume do meu ex-namorado. Que beleza! Era tudo que eu precisava! Uma noite inteirinha sentindo o cheiro do Gustavo bem debaixo das minhas narinas. Por que o Igor não usou uma colônia barata? O que custava? Eu ia gostar bem mais, ô, se ia.

— Posso ligar o som? — pergunto.

Eu e minha mania de escutar música 25 horas por dia. Era mais forte do que eu. Música quebra o silêncio incômodo do ambiente. O que era uma boa, já que depois do fiasco do perfume eu não sabia muito que papo puxar.

— Claro, linda. Liga aí!

Ligo o som. Ok, vamos ver o que tem nesse CD... E, meu Deus, Nossa Senhora dos Necessitados, o que era isso? Isso era, era um... sertanejo??? Não, não. Isso só podia ser um pesadelo. Esse era o Igor, Igor Tullon. Meu primo mais que perfeito, perfeitinho. O príncipe das minhas Barbies.

Agora eu fiquei doce, doce, doce, doce.
Agora eu fiquei do-do-do-do-doce, doce.

Realmente. Sertanejo era uma poesia para os ouvidos.

— Ô primo, você não tem música normal neste carro, não? — pergunto com a cara de pau com que vim ao mundo.

E daí? A música era horrível mesmo. Eu merecia mais no meu primeiro encontro.

— Música normal? Não gosta de "Camaro amarelo"? Agora eu fiquei doceee, doceee, doceee, doceee. Canta comigo, prima! — ele canta, mordiscando o lábio inferior numa espécie de tentativa de ser sedutor.

E eu quase vomitando.

— Não, Igor. Eu não gosto de "Camaro amarelo", vermelho, azul, nem de cor alguma. Eu odeio sertanejo — tento dizer em meio ao som que agora está muito alto e chamando a atenção de todos os que passam pela rua.

— oi? eu não estou te escutando! — ele berra.

É claro que você não está me escutando. Nós estamos com quatro caixas de som zunindo um sertanejo muito do brega em nosso cérebro. Me espanta que você esteja sequer pensando.

— eu não gosto de sertanejo! tira isso logo!

— Calma, prima. Eu, hein?!, não precisa gritar. Vou tirar. O que você gosta de escutar?

— Eu gosto de The Fray, Lifehouse, OneRepublic, The Script, Avril Lavigne, Ed Sheeran, Parachute... Um montão de coisas. Tem alguma aí? — pergunto, empolgada com a possibilidade de cantar "She is love" ao lado do meu primo encantado.

— Oi? Que bandas são essas? Há-há-há. Não conheço nenhuma!

— Você está brincando, né? OneRepublic canta aquela "Its tooooo late to apologizeeeee"... sabe? Muito boa. Tocava sempre na rádio.

— Ah, tô ligado. Chatona essa música. Deprê. Além disso não faz muito sucesso com as gatas.

Sucesso com as gatas? Sucesso com as gatas??? Então quer dizer que música que fazia sucesso com as gatas era

"Tô tirando onda de Camaro amarelo"? O mundo estava realmente perdido. E eu acabara de concluir que não era uma gata.

Eu ficaria em silêncio até chegar ao restaurante. Exceto que... nós não estávamos indo a restaurante nenhum. Burra, burra, mil vezes burra. Não era óbvio? Todo aquele papo de que ele estava cansado de seriedade, que queria algo desapegado e tudo mais, o atraso, o perfume do meu ex, a música nada romântica no carro... Eu não estava indo a um primeiro encontro. Estava indo para o meu abate!

— Igor, onde a gente tá? — Estou possessa, p. da vida, chateada mesmo.

Como ele podia fazer isso comigo? Eu não merecia nem um jantarzinho? Uma cantadinha melhor? Uma musiquinha de fundo?

— Linda... relaxa. Nesse beco sem saída não passa ninguém. A gente pode ficar juntinho... agarradinho... — diz, com um sorriso torto no rosto que me deixa nauseada.

Talvez eu devesse colocar em prática as técnicas da Talita.

— Eu achei que a gente ia tomar uns drinques. Me arrumei todinha!

— Ah, prima... achei que você tinha percebido que eu queria algo mais. Tenho vontade de ficar com você desde que éramos pequenos...

Ok. Ele estava mentindo, isso era mais do que comprovado. Mas quem liga? Eu queria acreditar lá no fundinho que ele me amava desde pequena. Amava não, muito forte.

Adorava. Sim, ele me adorava desde que éramos pequenos. E foi por isso que, em seguida, agi igual a uma adolescente estúpida...

— Eu também sempre tive vontade de ficar com você...

Homens. Desde os primórdios da humanidade nos convencendo a fazer estupidez apenas com algumas frases falsas, porém muito fofinhas.

E aí nós nos beijamos. Beijamos muito. Beijamos gostoso. Beijamos selvagem. Era puxão de cabelo pra lá, mão cá, mão lá... E quando dei por mim o Igor já estava tirando a minha roupa. Tirando a roupa dele. Indo pro banco de trás. Não... eu não estava fazendo isso. E nós nem estávamos em um Camaro amarelo.

— Isabela, não acha que está na hora de levantar dessa cama? Já são SEIS HORAS DA TARDE! Seu amigo Tiago ligou perguntando se pode vir te buscar daqui a uma hora, você está me ouvindo? Isabela? — grita minha mãe.

Eu sabia que mais cedo ou mais tarde eu teria de voltar à realidade. Mas é que a realidade era cruel, e tudo o que eu tinha vontade de fazer era — surpresa — chorar. Chorar muito. Eu estava me sentindo a pior pessoa do mundo pelo que havia acontecido na noite anterior.

Sabe quando você se deixa levar pelo momento? Só que às vezes o momento não deveria sequer ter acontecido. Essa era a conclusão a que eu havia chegado sobre a noite passada.

O Igor só queria alguém para suprir a sua carência de sexo e, tudo bem, admito, eu também estava carente de sexo, mas eu não deveria ter feito *com* ele. Qual é? O cara é o maior canalha! Nem um jantarzinho antes, nada, nada... Eu era só arrependimentos. Tinha a impressão de que se saísse com o Tiago hoje ele leria na minha testa: "*Sou fácil. Sou uma piriguete*". Será que ainda dava tempo de cancelar? Talvez hoje fosse melhor ficar debaixo das cobertas curtindo minha ressaca moral, meu declínio perante a sociedade...

— ISABELA! Vai se arrumar logo, menina! Seu amigo já já tá passando pra te pegar — berra minha mãe.

— Como assim? Você disse que ele podia me pegar aqui?!

— Claro, filha. Você não pode simplesmente combinar de sair com as pessoas e desmarcar na última hora. Isso é falta de educação, não foi assim que eu te criei.

— Mãe, eu não tô bem hoje. Sério. Acho que peguei uma gripe das fortes.

Fingir que estava doente sempre resolvia.

— Tá nada, Isabela. Eu te conheço. Quando você dorme o dia todo é porque tá fugindo de alguma coisa. O que é que aconteceu, hein? Foi o Gustavo de novo? Porque o Seu Manuel da portaria já me disse tudinho do dia em que ele veio aqui. Não gostei nada disso, viu?

— Não, mãe. Não é nada com o Gustavo. Eu só queria ficar quietinha hoje mesmo.

— É saudade do Pedro? Porque se for pode ligar pra ele do meu celular da empresa. Ele tá cheio de créditos.

— Não, mamãe, valeu. Eu falei com o Pedro ontem. Deixa pra lá. Vou me arrumar.

Eu queria falar do Igor. Das minhas Barbies que sempre tiveram o Igor como seu príncipe. Do Camaro amarelo. Do OneRepublic. Das mãos dele por todas as partes do meu corpo. Do banco de trás do carro. Eu queria, queria mesmo. Mas isso era além do que a mente tradicional da minha mãe poderia aceitar. Então resolvi fingir que nada estava acontecendo, pus um vestido qualquer e esperei que o Tiago passasse para me buscar.

Ele chegou pontualmente. 19h01. Coitadinho do Tiago, ele não tinha nada a ver com o meu desânimo. É que, pensa comigo, se com o Igor, meu príncipe encantado, minha paixão platônica, meu primo, meu tudo, havia sido daquele jeito, o que esperar do encontro com o Tiago? Desastre. Mais um pra minha listinha de desastres.

1. Evandro da academia
2. Igor primo Tullon
3. Que venha o próximo

Abro a porta do carro, cumprimento o Tiago com um beijo no rosto e nem noto quando ele coloca o CD do Lifehouse pra tocar. Pera aí, o que é isso? Será que ele estava fuçando minha vida na internet pra descobrir minhas bandas preferidas? Velha tática essa. Olha no Facebook da garota os interesses dela, grava um CD qualquer da sua banda preferida, finge que foi uma coincidência e BAM! Ela está no papo. Não iria funcionar comigo.

— Hum, você conhece Lifehouse? Não sabia — provoco.

— Não sabia? Que isso, Bela. Eu fui ao show deles ano passado! A gente não estava se falando, por isso não deve ter visto as fotos que postei...

— Para tudo. O quê? Você foi a um show do LIFEHOUSE? Mentira. MEN-TI-RA.

— Fui! Foi demais, você precisava estar lá. Eles são ainda melhores ao vivo! O show é do caralho!

— Nossa... legal, muito legal...

Eu estava muda. Em todo esse tempo que conheço o Tiago eu nunca soube que o cara curtia uma das minhas bandas preferidas. Eu não sei por que eu dava tanta importância a isso, sabe, esse lance de bandas preferidas, mas é que eu me sentia conectada às pessoas que escutavam as mesmas músicas que eu, mesmo que não soubéssemos disso na época em que começávamos a escutar. Fico imaginando se ele também chorou ao som de "Everything", ou se quis dedicar "You and me" pra alguém. O Tiago estava surpreendendo.

— Então, você foi ao show deles durante aquele seu intercâmbio nos Estados Unidos? — pergunto, tentando retomar o assunto interrompido pelos meus pensamentos.

— Sim, sim. Por falar em intercâmbio, eu tô morrendo de saudade do Pedrinho. Ele tem falado contigo? O cara não responde minhas mensagens no Facebook!

Eu me esqueci de dizer, o Tiago é muito amigo do Pedro, tipo, muito mesmo. Eles são vizinhos de porta. Inclusive devo dizer que a culpa de eu possuir um ficante esporádico como o Tiago é inteiramente do Pedro, que ficava me empurrando para o garoto. O Tiago era o baterista da falida banda Fallen Star, formada pelo Pedro (guitarrista e vocalista), pelo Tiago (baterista) e por um cara gordinho que tocava baixo cujo nome eu não sabia. O Tiago é muito bonito, muito mesmo. Ele me lembra aquele ator de *Prision Break*. Os cabelos raspados fazem um conjunto perfeito com os olhos verdes que iluminam.

— Ele me ligou ontem. Falamos rapidinho e eu tive que desligar. Ele está bem, me contou que terminou o namoro...

— Terminou? Ah, eu sabia... Com tanta garota linda por lá, ele continuar namorando uma garota daqui seria burrice. Tem mais é que aproveitar mesmo.

— As garotas de lá nem são tããããão bonitas assim. Não exagera.

— Ah! Tá com ciúmes, é?

Eu? Ciúmes do Pedro? Há-há, pensei. E quando vou retrucar o comentário infeliz, ele completa:

— Não precisa ter ciúmes de mim. Eu só quero uma garota brasileira... Opa, chegamos. Você vai adorar a comida daqui!

Ok, agora ele achava que eu tinha ciúmes dele.

O restaurante era uma gracinha e ficava numa parte mais isolada da cidade, subindo uma montanha. Eu nunca tinha ido comer nesse lugar. Na entrada, tochas acesas seguiam por um caminho de pedra até o hall do restaurante. Fomos recebidos por uma moça muito simpática que perguntou se tínhamos reserva. O Tiago disse, orgulhoso — não pude deixar de notar —, que havia reservado uma mesa na área externa.

Fofo. Digo, o lance de se preocupar em reservar uma mesa. Só não acertou quando pediu uma mesa na área externa, já que estava um vento do caramba e eu, provavelmente, congelaria até o fim da noite. Porém, quando chegamos à nossa mesa eu entendi. Ah, entendi tudinho.

A nossa mesa era de frente para um lago que também era parte do restaurante. Era noite de lua cheia, o que fazia com que ela se refletisse no lago e formasse o cenário do lugar perfeito. O Tiago acertara na mosca! Esse lugar era a minha cara.

Música ao vivo, luzes de vela, lua no céu... Aprende aí, Igor Tullon. Você precisa de umas aulinhas de romantismo.

A minha noite com o Tiago havia sido muito agradável. Ele parecia estar mudado, muito diferente do Tiago que eu conhecera alguns anos atrás. Acho que todo homem tem dessas, né? Um dia amadurece, cai na real e percebe que o certo é tratar as mulheres como elas merecem ser tratadas. Com carinho. Leva tempo, eu sei, mas eles se tocam.

Na hora em que estava me deixando em casa, ele disse:

— Gostei muito da noite de hoje, viu? Espero que você tenha gostado também.

Ai-que-vergonha. Odeio esses momentos pré-despedidas em que temos que confessar sentimentos e dizer o que pensamos. Odeio, odeio.

— Eu também gostei muito — respondo, com a voz meio engasgada. — Obrigada, Tiago. Estava com saudades de você!

Saudades de você? SAUDADES DE VOCÊ? Sau-da-des? Alô, desapego. Alô, amor-próprio. Favor não se entregar assim tão fácil!

— Disse tudo, Bela! Estava com "a maior" saudade de você! Temos que combinar de encontrar mais vezes. O que acha de sairmos na quarta de novo? Podemos ir ao cinema...

Não, não e não.

— Não.

— Não? Por que não? — se espanta ele.

— Digo, sim, claro. Eu estava pensando alto aqui, me desculpe. Então... quarta?

— Quarta!

— Marcado. Eu vou indo...

— Tudo bem. Boa noite, Bela.

— Boa noite.

Dou um beijo apressado nele e arrumo um jeito de escapulir logo do carro.

Qual era o problema dos meus ficantes? Um era um completo idiota, que só queria me usar. O outro parecia ter tomado um antídoto que o transformou no mais novo príncipe dos contos de fadas. Será que era pedir demais por alguém que fosse normal, mediano, nem muito nem pouco? Tudo bem que eu sempre fui oito ou 8 mil, mas às vezes tudo o que nós — sagitarianas intensas — precisamos é desacelerar, planejar uma nova rota e começar de novo. E eu estava precisando mesmo disso.

Nem me apaixonar, nem me decepcionar. Eu só queria uma certa calmaria antes que viesse uma nova tempestade. Porque você sabe, elas sempre vêm.

> Por um mundo onde os beijos são dados com emoção, devagarzinho, com uma mão na nuca e a outra puxando forte a pessoa pra perto...
>
> **Isabela Freitas** / @IsabelaaFreitas

CAPÍTULO 8

As pessoas sempre descobrem novas formas de nos decepcionar

A verdade é que eu estava cansada de ter sempre que atender às expectativas de todos à minha volta. Sabe, acho que nasci com uma doença que se chama preciso-fazer-todo-mundo-feliz-mas-em-troca-disso-serei-infeliz. É que tornar as pessoas felizes me faz um pouco feliz. Pelo menos por um tempo determinado. E eu cansei. Cansei mesmo. E olha que eu nunca me canso de nada.

Desde pequena eu estava nessa de ser o que todos queriam que eu fosse. Veja bem como as coisas aconteciam. Sou a primeira filha dos meus pais e a primeira neta da família por parte de pai, e aprender a falar "mamãe, eu te amo" e "tô com fome" parecia ser a sensação do verão. Tarefas que executei com sucesso, claro. Com seis meses de vida eu já balbuciava quase todas as sílabas que um neném pode precisar.

Com um ano, comecei a andar — claro que depois de muitos tombos. Aos três, já fazia balé. Sonho da mamãe. Agora, me pergunta se algum dia eu gostei de balé. Ora, é óbvio que não. Uma chatice sem fim fazer todos aqueles exercícios ao som de músicas que mais pareciam baladas para o sono profundo. Mas eu fazia balé porque minha mãe gostava de balé. E eu gostava da minha mãe. Com quatro anos já fazia inglês, e tá, disso eu gostava, e gostava muito. Me imaginava sendo uma daquelas pessoas importantes que traduziam o que os estrangeiros falavam. Tive também o sonho de ser arqueóloga. Imagine só, descobrir tesouros escondidos? Coisas que ninguém vivo havia visto antes? Devia ser demais.

Aos cinco, aprendi a ler. E aí não parei. Lia todos os *outdoors* da cidade que via pela frente. Lia bulas de remédio. Lia até placas de carro. Via poesia em tudo. Confesso que nunca fui uma amante da leitura para agradar a alguém (por mais que eu fizesse meu pai extremamente orgulhoso cada vez que chorava pedindo um livro novo). Com a paixão pela leitura, veio também a utopia de um dia me tornar escritora. Tão difícil ser criança...

Sabe, poucas coisas na minha vida eu fiz porque realmente quis. Acho que não sou muito diferente dos outros, quer dizer, é só dar uma volta no calçadão de Juiz de Fora que eu vejo centenas de pessoas que não são aquilo que queriam ser. Uma vez, li em algum lugar que as crianças nascem com sonhos puros dentro do coração e que, aos poucos, vão perdendo isso e viram adultos frios, secos, robóticos. Executam as tarefas do dia a dia como quem nem percebe o que está fazendo. Acordar, tomar café da manhã, trabalhar, dar um beijo na esposa, perguntar como foi o dia das crianças. E assim se passa mais um dia infeliz na vida de um adulto que esqueceu que, lá na infância, o seu desejo era viajar pelo mundo apenas com uma mochila nas costas e a felicidade no bolso. Por que é que a gente se esquece de ser feliz?

Aos doze, tive o meu primeiro namorado, *aquele*, que beijei encostada em um carrossel. Eu queria desesperadamente fazê-lo feliz. Percebia que ele gostava de mim e que eu, provavelmente, seria alguém de quem ele não se esqueceria tão cedo. E por isso insisti na relação por tanto tempo. O problema era que eu não conseguia mais sentir o chão desaparecer sob os meus pés, nem escutar sinos tocando, como no começo da paixão. Esse meu namorado precisava de um apoio, de uma amiga, uma companheira. E por anos eu fui tudo que ele precisava, deixando mais uma vez de lado a minha felicidade. Toda vez que eu tentava terminar o relacionamento, ele chorava pedindo que eu não fizesse isso. Então, eu cedia. Ele, feliz; eu, mais uma vez, infeliz.

Sabe que é uma merda ver alguém chorar? Não sei lidar com isso. Sempre dou uns tapinhas e digo que vai ficar tudo bem. Vai mesmo? Ficar tudo bem? Nem sempre fica tudo bem. Como se vira as costas para a pessoa que nos proporcionou bons momentos e se diz a ela que não a queremos mais? Nunca mais?

Tá. Confesso. Eu não sei terminar. Nunca soube. Esse meu primeiro namoro eu tentei terminar de várias formas. Mensagem bonitinha (bonitinha?), ligação no meio da noite, olhando olho no olho (ele achou que eu estava brincando), escrevendo uma cartinha (ele achou que era pegadinha e eu não tive coragem de desmentir), pombo-correio (ok, eu não mandei um pombo-correio, mas, se tivesse um, com certeza mandaria), carro de mensagem (imagina que legal?!?!). Por mais que eu tentasse, nada dava certo. Ele sempre dava um jeito de sair pela porta dos fundos, e eu, bem, era fraca demais para impedir que isso acontecesse.

Foi aí que criei uma nova forma de acabar namoro: fazer a outra pessoa me odiar. Com todas as forças. Isso me livrava do fardo de ter a iniciativa, porque a pessoa ficaria com tanto ódio que, uma hora ou outra, acabaria terminando em meu lugar. E assim eu fiz. Comecei não atendendo o telefone, não respondendo às mensagens, sendo grossa, até chegar a ponto de...

— Isa, o que é que tá acontecendo, hein? Tu tá estranha...
— Tô nada. Tô normalzinha.
— Tá sim. Tá distante, fria, não me responde direito...
— Eu sou assim.
— Nunca foi assim. Por que tá assim agora?
— Porque eu sou assim agora, ué.
— Mas eu não gosto da Isabela assim. *Cadê minha bebexinha lindinha que maix amul?*

Ok. Ele falava com voz de neném. Maldito o dia em que permiti que esse ser falasse assim. Nos dias finais de nosso relacionamento eu tinha vontade de golfar toda vez que ele começava com essa voz.

— Hum, err... Olha, eu gosto de outro. É isso.
— Oi? Quê?
— E-u, eu, euzinha, gos-to de ou-tro. Não entendeu o quê?
— Como assim, Isabela? E a gente? E o nosso namoro? Como você pode fazer isso com a gente? Como? Isabela? Isabela?!
— Então é isso.

E lá se foi o meu primeiro namoro (de sucesso, hein?). Ele, é claro, ainda tentou me procurar algumas vezes para conversar sobre o "outro", que sequer existia. Só que fiz questão de ressaltar que estava muito feliz e que não queria tentar mais uma vez. Covarde, eu sei. Me dói na alma ter que magoar alguém. Eu nunca sei o que dizer, como dizer, nem quando dizer. Afinal, nunca é a hora certa para dizer adeus.

Sabe aquela sensação de se libertar e sentir como se você fosse um pássaro pronto para voar pela primeira vez? Foi assim que me senti quando o deixei. Como se meu coração se livrasse de um peso que o colocava pra baixo dia após dia. E, pelo que li e ouvi por aí, isso quer dizer que não era amor. Ufa! Ainda bem. Imagine só o amor ser assim? Alguém que fala com voz de neném e te chama de *bebexinha*? Mas a história da menina que queria atender às expectativas não termina por aí.

Meu pai sempre foi um nerd. Nerd da pesada. Aquele garoto que veio de família humilde, estudou pra caramba, conquistou o mundo e hoje bate no peito com orgulho ao contar a sua história. Eu admiro meu pai, muito mesmo. Admiro muitíssimo essas pessoas que colocam todo o empenho em coisas como Química e Física. Por Deus, tem algo pior? A questão é que meu pai sempre quis que eu fosse igual a ele. A primeira da sala. A aluna nota A+. A condecorada da escola. E, bem, eu nunca fui nada disso. Até o sétimo ano eu era uma aluna ok. Nem a melhor nem a pior. Não era motivo de orgulho, mas também nada que o fizesse tremer nas bases.

No oitavo ano tive minha primeira nota vermelha. Me lembro até hoje da cara de decepção dele. Tsc tsc. *Matemática? Uma coisa tão simples como matemática?* Sim, pai. Matemática. Eu já disse que odeio números? Pois então, eu odeio números com todas as minhas forças. Acho que números não dizem nada e só servem para agrupar coisas que não têm nome. Um grupo de quarenta pessoas é o quê? Quarenta pessoas. O que esse número nos diz sobre essas pessoas? Nada. O número "quarenta" não nos diz nada, já a palavra "pessoas" nos faz supor que elas têm histórias, amores mal-resolvidos, sonhos, mágoas, problemas. Entende por que não consigo gostar de números? Eles não me dizem nada.

No nono ano tive mais duas notas vermelhas: em Química e Física. Mais números. Mais decepções. Era engraçado ver que a leitora do ano (esse era o nome que minha antiga escola dava aos alunos que mais alugavam livros na biblioteca) era também "a nota vermelha do ano". *Como assim? Ela não passa o dia na biblioteca?* Sim, eu passava o dia na biblioteca. Só que lendo livros que contavam histórias sobre dragões, bruxos, princesas, sapos que viravam príncipes, chapéus que falavam, carros que voavam e muitas outras coisas incríveis. O normal não me atraía nem um pouco. E isso não era certo aos olhos do meu pai.

Aos dezesseis anos fiz meu primeiro "vestibular". É que aqui em Juiz de Fora tem um programa de vestibular parcelado, sabe? Nessa idade eu não tinha ideia alguma do que eu queria ser, aliás, até tinha. Eu queria ser arqueóloga. Ou escritora. Ou tradutora. Ou psicóloga. Ou uma das princesas sobre as quais lia em meus livros.

— Psicóloga? Ah! Essa é boa. Psicólogo não ganha dinheiro, minha filha. Você precisa fazer uma faculdade que vá te dar uma vida boa... Medicina, quem sabe?

— Não, mãe. Eu odeio sangue!

— Então engenharia, que tal? Mulheres engenheiras vão dominar o mundo.

— E se eu quiser ser escritora, mãe? Eu faço o quê?

— Escritora, Isabela? Você sabe as probabilidades de isso acontecer? Não? Pois eu te digo: nenhuma. Não é fácil assim como você acha que é.

— Poxa, mãe... E se eu for aquela pessoa que trabalha com os estrangeiros? Faz traduções? Legal, né?

— O quê? Diplomata?

— O que é diplomata?

— Você nem sabe o que é diplomata e quer ser uma. Isabela, faça algo que está a seu alcance. Direito, que tal?

— Direito? Hum...

— Você gosta de ler, escrever, se expressa bem... Acho que vai se dar muito bem...

— É. Pode ser...

E assim se foram os sonhos de mais uma garotinha neste mundo. Anos atrás, quando completei o terceiro ano do ensino médio, me inscrevi na Faculdade de Direito, e aqui estou eu. Fazendo um curso que em nada me encanta, mas é preciso corresponder aos desejos dos meus pais. Ter um diploma para que eles mostrem aos amigos e digam: "Isabela? Ah, Isabela vai ser advogada. Grande advogada!". E mais uma vez eu estava deixando a minha felicidade de lado.

No campo das amizades também não era diferente, lá estava eu, sempre colocando a felicidade do outro à frente da minha. Um bom exemplo disso foi ainda aos dezesseis anos, quando tive uma paixonite por um garoto da minha sala. William, se chamava. O Will era tudo o que eu esperava de um garoto. Gostava de ler, era educado, tímido e conversava pelo olhar. Passávamos horas trocando ideias sobre *Harry Potter*, *Senhor dos Anéis*, e chegamos até a disputar quem conseguia ler livros mais rápido, o que fazia com que eu passasse noites em claro lendo e imaginando que o Will estava lendo o mesmo livro que eu, no mesmo momento. Tínhamos uma conexão, além dos olhos verdes dele. Isso poderia ser o início de uma linda história de amor, não fosse pela Vitória. A Vitória era da nossa sala também, e ela sabia, sabia sim, que eu estava caidinha pelo Will. A Vitória era a Marina do meu ensino médio, e assim se fez.

Em uma festa em que o Will foi, e eu não pude ir (estava visitando meus avós na cidade deles), ela deu um jeito de agarrar o garoto. Isso mesmo. Lascou um beijão nele no meio de todo mundo. A notícia estava na boca de todos do colégio na segunda-feira. Quando fiquei sabendo, um tremor percorreu meu corpo. Por que o Will? Por quê? Por que o *meu Will*? Acho que deve ter sido por minha cara de enterro, ou por eu ter parado de escrever no meio de uma frase e ter ficado olhando o nada; o fato é que o Will fez sinal para que eu o acompanhasse para fora da sala. Eu fui.

— E aí?
— Oi, tá tudo bem entre a gente?
— Tá sim. Por que não estaria?

— Sei lá. Deixei um bilhetinho em cima da sua mesa e você jogou no lixo sem ler. Queria dizer que já acabei de ler aqueles livros da série que você me indicou, *A mediadora*. Adorei, muito bons mesmo.

— Ah, legal.

— Isabela? Tá acontecendo alguma coisa? Ah, já sei...

Olhei pela janela e observei uma criança que brincava de amarelinha na calçada. Como eu queria voltar a ser criança e não ter DR às oito horas de uma manhã de segunda-feira.

— Você ficou sabendo da Vitória...

— Pra falar a verdade, fiquei sim.

— Achei que você ficaria feliz.

— Feliz? Por que diabos eu ficaria...

Foi quando uma Vitória sorridente entrou no meio da conversa.

— Feliz? Isa? Eu contei pra ele! Contei que você apoiava a nossa união. Eu, sua melhor amiga; ele, seu melhor... *amigo* — ela falou, enfatizando a palavra "amigo".

— Ah, é sério isso, Will? — perguntei, me virando para ele.

— É, então... Eu disse que, que gostava muito de você, Isabela...

— Como amigo, né? — interrompeu Vitória.

— É, gostava, gostava, sabe? E ela disse que você não ia se importar, porque *apoiava*, e *queria* que eu ficasse com ela... Sendo assim, eu, eu...

— Me deu um beijo inesquecível. Foi isso, Isa. Você não fica feliz por nós?

— Fico, fico muito feliz mesmo. Parabéns ao casal.

Eu poderia ter dito que tudo isso não passava de uma mentira da Vitória para fazer com que ele ficasse com ela. Poderia, sim. Só que eu preferi deixar pra lá. Se foi assim, é porque era pra ser, né? Não.

Olha, de uma vez por todas, a verdade é que não existe isso de "era pra ser". Nada é pra ser, sempre haverá outros caminhos, alternativas, outro fim pra mesma história. O poder de moldar o destino está nas nossas mãos, mas, por nos sentirmos impotentes diante de tamanha grandiosidade, escolhemos não mudar nada. A Vitória, por exemplo, mexeu uns pauzinhos e mudou o destino dela. Já eu, me conformei e deixei que meu destino escolhesse por si próprio o seu rumo. E, bem, o destino às vezes não sabe o que é melhor pra gente. E mais uma vez eu coloquei a felicidade do outro à frente da minha, ainda que manter uma falsa amiga não me trouxesse nem um pinguinho de satisfação pessoal. Eu simplesmente preferi abrir mão de alguém de quem gostava, desisti de lutar por ele. É bem mais fácil, sabe?

Abrir mão. Deixar ir. Desapegar. Isso liberta de alguma forma. Por mais que nos aprisione em lembranças do que poderia ter sido.

E foi assim por boa parte da minha vida. Até o meu último namoro, o tal do início deste livro. As pessoas me perguntam, às vezes: "Nossa, mas como você aguentou dois anos uma pessoa que nada tinha a ver com você?". E eu tenho vontade de responder:

Porque simplesmente eu estava cansada de dar errado. De deixar para lá. De dizer adeus. De admitir para mim mesma que estava errada sobre alguém. E tentei, e insisti, e chorei. Tentei moldá-lo da forma que achei ser perfeita para mim. E com isso aprendi que não podemos moldar ninguém. Aprendi que não adianta querer muito dar certo, que o certo, certo mesmo, só acontece nas horas erradas. Aprendi que não adianta pedir aos céus por um amor de verdade, porque amores de verdade não caem do céu, assim como estrelas cadentes não passam quando queremos. É preciso se ferrar, é preciso bater com a cara na porta, é preciso se decepcionar, é preciso desistir. Desistir não é fracassar. É admitir em voz alta que você insistiu por tempo demais. E eu insisti por tempo demais. Era hora de deixar ir...

Mas, em vez disso, só levanto meus ombros e digo um nada sincero "não sei".

O Gustavo queria ter uma namorada ao lado para apresentar aos amigos, à família, e para poder colocar fotos com legendas românticas no Facebook. Ele não fazia esforço algum para que eu me sentisse especial, porque, na real, eu não era especial para ele. Ele queria apenas uma companhia que afastasse a solidão que era conviver consigo mesmo. Eu entendo, entendo de verdade. Viver por tempo demais em sua própria companhia às vezes cansa, e a gente acaba depositando essa vontade de "ser dois" no outro. Ainda que esse outro não seja nada mais que isto: uma companhia.

A meu lado ele podia desabafar sobre o trabalho no fim do dia, ou me contar sobre a última que algum amigo dele havia aprontado. Não posso culpá-lo pelo fim do nosso relacionamento, como se ele fosse um monstro ou algo do tipo. A verdade é que somos todos almas procurando por outra alma, aquela única, que vai nos fazer querer ser melhores. E todos os outros que encontramos pelo caminho são nada mais que uma simples companhia. Como uma pessoa com quem você conversa no ponto de ônibus, conta alguma história da sua vida, escuta uma história dela e se lembra disso pelo resto dos seus dias. Essa pessoa te marcou. Não como o amor da sua vida nem como alguém especial, mas como alguém que fez parte da sua história e contribuiu com um pouco de sabedoria para o que você é hoje.

O problema é que, nessa de ser o que todos queriam que eu fosse, nunca fui aquilo que sempre quis ser. Eu. E isso cansa, sabe? Era hora de vestir um vestido de mim mesma, bater no peito e estabelecer ordem nessa bagunça que eu chamo de "pensamentos".

> Deve ser horrível ser alguém tão cabeça fraca assim
>
> **Isabela Freitas** / @IsabelaaFreitas

CAPÍTULO 9

Não confie demais em quem você não conhece

Me viro para o lado. Que voz era essa vindo perturbar o meu tão abençoado sono?

— Isabela, hora de acordar, menina! Já são sete horas. Você vai se atrasar para a primeira aula.

Nossa, como minha cama é gostosinha. Quentinha. Aconchegante. Sinto meu gatinho, Fred, irradiando calor nos meus pés. Delícia. Eu poderia ficar aqui para sempre.

A porta se abre bruscamente e alguém, pisando forte, entra no quarto.

— ISABELA! — diz minha mãe, enfurecida, enquanto puxa as cobertas de cima de mim. — Você precisa ACORDAR! Final de semana acabou! ANDA!

Cadê a sensibilidade do povo desta casa? Eu estava tendo um sonho muito legal, ok?

— ISABELA, EU NÃO VOU FALAR DE NOVO! — minha mãe continua a berrar.

— Tá, tá, calma! Que estresse! Já tô levantando, só estava descansando uns minutinhos.

— Você acha que a vida vai acabar em cama? Eu, hein, menina! Você precisa estudar.

Ok, ok. Vamos lá, estudar. Ser uma pessoa normal, normalzinha. Eu já disse que não gosto da minha faculdade? Pois então, eu não gosto. Direito é muito legal, de verdade. Uma faculdade incrível. Só que acho que é sério demais pro meu gosto e, por exemplo, me identifico mais com Publicidade. Ou Jornalismo. Ou Comunicação. Algo que estimule meu lado criativo e me dê liberdade. Seguir leis e regras nunca foi o meu forte.

Só que é claro que eu só descobri isso depois que já tinha feito burrada. Como sempre. Outra eventualidade no *Filme da Isabela*.

Meu pai estava à mesa de café, lendo o seu jornal.

— Dia, papai.

— Dia, filha. Como foi o fim de semana? Tá acabada, cheia de olheira.

— Obrigada pelo elogio — digo com um sorriso. — Foi ótimo. Saí com um garoto no sábado. O Tiago, sabe o Tiago? Aquele que é vizinho do Pedro. Filho da Cida.

— Ah, sei. Bom garoto. Ele te respeitou, filha? Ele te tratou como você merece? Igual a uma princesa? Pois olhe, se ele fez algo errado me diz que eu vou lá e acabo com ele.

Sorrio de novo. Dou um beijo no rosto do meu pai e me despeço para mais um dia.

Eu adorava ir à faculdade por um motivo... e não, não era algum garoto — quando somos novas gostamos de ir ao colégio para ver o nosso "paquerinha", mas acho que eu já havia passado dessa fase há algum tempo. Eu gostava era de encontrar a Amanda.

Eu entendia, entendia mesmo, que o fato de ela namorar não fazia dela a amiga-mais-presente-do-mundo-que-está-comigo-em-todos-os-momentos. Eu também era assim quando namorava, faz parte. Não gosto de quem deixa os amigos de lado para viver um romance, porém sei que fica corrido quando se tem que dividir o tempo entre estudos, amigos, namorado, namorado, namorado e outros afazeres do dia a dia.

A Amanda era uma garota incrível e merecia toda essa felicidade que estava sentindo. Só eu sei quanto ela buscou por isso e, veja que ironia, ela encontrou a felicidade perto de um cara que estudou com ela quando eles eram bem mais novos. A vida deu um jeitinho de reuni-los novamente. O amor gosta de se "esconder" ao nosso lado, né?

— Sua sonsa, tô te chamando há uns cinco minutos e você tá aí com esse olhar vago.

Amanda. Encaro seus olhos puxadinhos e retruco de volta.

— Desculpa, estava pensando alto aqui.

— Como sempre no mundo da lua. E aí, me conta! Como foi o seu fim de semana? Você nem entrou na internet. Fiquei ansiosa.

— Nossa, começou horrível. Eu te falei que ia sair com o Igor, né? Então, eu saí. E bem, ele, hum... Ele e eu... nós... sabe?

— Hã? É isso mesmo que estou pensando? Me diz... Vocês tran-sa-ram?

— Xiii... Grita mais alto, acho que a sala toda ainda não escutou — cochichei. — Sim, rolou. No carro. Em um beco escuro. E eu me odeio por isso.

— Que bobeira, Isabela! Você precisa deixar de ser tão puritana assim. Não tem problema algum se divertir de vez em quando. Desencana, vai.

A Amanda não era a voz da sabedoria à toa. Eu adorava o fato de ela sempre conseguir tirar as paranoias da minha cabeça, e olha, eram muitas.

— Que se dane! Você está certa. E... foi bom, nossa, foi muito bom. Ele *era* bom.

— Aquela cara dele de safado nunca me enganou. Há-há! Mas depois você me fala os detalhes, porque aquela insuportável da Bruna tá de olho comprido na nossa conversa. E o Tiago? Continua o mesmo canalha de sempre?

— Menina, você acredita que ele foi um fofo comigo? Eu nem entendi. Descobri que ele também é fã de Lifehouse, LIFEHOUSE, AMANDA! De início achei que fosse mentira, sabe? Dessas que os garotos usam para ficar com garotas. Tipo "adoro sua banda favorita também, fica comigo?". E ele me deu um tapa na cara mostrando fotos do show deles. E eu acho que ele tá mudado, tá mais homem, mais maduro. Gostei do que vi. Gostei mesmo.

— O Pedro é que não gostou muito, né?

— Como assim?

— Ah, ele me ligou ontem e perguntou se eu sabia como tinha sido o encontro de vocês dois. Só que como eu não tinha falado com você ainda, também não sabia dizer ao certo. Daí ele disse algumas coisas sobre "como você deveria abrir os olhos", mas a ligação tava falhando e acabou caindo. Não entendi muito bem.

— Eu, hein! O Pedro vai pra Austrália e não consegue se desvincular do filme de comédia nada romântica que é a minha vida... Esse filme é bom mesmo, né?

— Num é? Também adoro. E vocês vão sair de novo, digo, você e o Tiago?

— Sim. Combinamos ir ao cinema na quarta-feira. Vamos ver no que isso vai dar.

— Vá bem, gatinha! E vê se passa um corretivo nessas olheiras, tá demais isso aí.

Ok. Segunda crítica às minhas olheiras e não eram nem dez da manhã ainda.

Meu professor balbuciava algo sobre Direito de Família, e eu me forçava para acenar com a cabeça, mesmo sem estar ouvindo nada.

Ah, como eu queria voltar a ser criança. Todo aquele mundinho cor-de-rosa onde tudo que existe são desenhos, super-heróis, princesas, sonecas, guloseimas e alguns paquerinhas. Como é fácil amar quando se é criança. Acho que a gente, quando é criança, ama por coisas tão simples, sabe? Como a vez em que disse que amava um garoto da minha sala só porque ele havia me "salvado" de uma abelha que ia me picar. E eu disse com o coração. Eu realmente o amei por isso. Se a Isabela criança conhecesse a Isabela de hoje, certamente perguntaria: "Quando foi que o amor se tornou algo tão difícil para você, hein?".

Pois é, querida Isabela. Eu também gostaria de saber.

Está se lembrando do nosso cinema depois de amanhã? Espero que sim. Esses dias demoraram uma eternidade para passar. Mal posso conter minha ansiedade para te ver. Beijos, linda.

Mensagem do Tiago. Foi fofa, vai? Respondi que também estava ansiosa para vê-lo. E até que eu estava um pouco.

É inegável que todo esse lance com o Tiago estava me fazendo esquecer a Marina, o Gustavo, o Evandro e o Igor (que já me mandou uma mensagem perguntando quando iríamos repetir a "dose"). O Tiago sempre foi uma pessoa com quem eu mantinha relações não só de ficante, mas também de amigo. Com ele eu me sentia à vontade para desabafar tudo. Ele me escutava atentamente, me aconselhava, e sempre, sempre mesmo, me iluminava com sua racionalidade (um defeito meu de fábrica é agir, em geral, com a emoção). Eu não estava apaixonada, mas certamente o Tiago estava trazendo de volta à minha vida um pouco de segurança. E eu gostava disso. Gostava de ter alguém em quem confiar.

No cinema foi tudo bem. Fomos assistir ao filme novo da Jennifer Aniston, acho que era ela, sei lá. Não prestei muita atenção, beijei o filme todinho. E, ok, isso é um pouco infantil. E daí? Eu estava exausta e precisava de um alívio para a alma. Esse alívio se chamava Tiago e seus beijos com gostinho de *tutti frutti*.

Depois do cinema, nos sentamos na praça em frente ao meu prédio e ficamos lá por um tempo. Conversando sobre a vida.

— Não vou negar. Eu sabia que você um dia terminaria com o Gustavo.

— Sério?!

Me espanto. Tudo bem, eu sabia disso. Só que o Tiago ficara tempo demais afastado, como poderia saber?

— Todos sabiam. O Gustavo é um babaca. Ele usa gelzinho no cabelo. Há-há-há!

— Hum... Não vamos estragar esta noite perfeita falando dele. Como tá sendo sua readaptação no Brasil? Já está louco para voltar para os Estados Unidos?

— Que nada. Acho que fazer intercâmbio nos faz valorizar tudo aquilo a que não damos importância quando estamos aqui. Muita gente tem o sonho de morar fora, já eu só quero ter minha vidinha aqui, entende? Conseguir acabar a faculdade de Medicina, passar na residência e achar alguém para compartilhar a vida...

— Fácil pra você, né? Quero dizer, você é superinteligente. Vai tirar de letra.

— Sim, nessa parte eu me garanto. Daí só vai faltar a parte em que eu preciso de alguém para dividir minha felicidade — diz, com um sorriso quase mágico no rosto.

Encaro os olhos verdes dele. Como brilham.

— É... logo, logo, você acha.

Como sempre, dou um jeito de quebrar o clima. Por que eu tinha que nascer com o dom de ser uma eterna estraga prazeres? Por que era tão difícil ser como aquelas mulheres de filmes que sempre sabem o que dizer? Por que eu não podia inclinar a cabeça delicadamente, piscar os olhos, e dizer um "Own"? Por quê, Deus?

— Talvez eu já tenha achado — diz ele.

E me beija. De novo. E de novo. A noite inteira...

Ok. Eu estava cada dia mais caidinha pelo Tiago e isso não era algo que eu quisesse admitir em voz alta. Mas a minha mãe percebeu. Ah, elas sempre percebem.

— Isabela, você? Lavando a louça?

— Que foi, mãe? Quero te ajudar. Você deve estar cansada, trabalhou o dia inteiro. Qual o problema dessa casa, hein? Não posso nem lavar uma louça que já escuto julgamentos.

— Você está lavando a louça. *Lavando a louça*. Enquanto cantarola uma música baixinho. Isabela?

— E daí? Para, mãe!

— Isabela?

— Tá bom, mãe. Eu acho que tô começando a gostar de sair com o Tiago. Não te contei antes porque fiquei com medo de quebrar a cara, mais uma vez, só que agora acho que já passamos dessa fase.

— Tem certeza? Eu não sei se aguento uma Isabela pós-decepção de novo. O mau humor já estava contagiando até o seu gatinho. Pobrezinho. Estava tão estressado que arranhou o sofá todinho.

— O Fred é doido, deixa ele. Relaxa, mãe. Acho que, desta vez, não estou errada quanto ao Tiago. Ele está sendo bom para mim. Ponto.

— E...?

— E o quê?

— Não vai dizer que ele é o seu príncipe? Estou esperando.

— Há-há. Como você é engraçada! Já pensou em participar daquele programa da Globo, *Zorra total*? Acho que seria um sucesso.

— Só estava conferindo. Você finalmente aprendeu a sua lição. Príncipes não existem.

Sorri e dei um abraço demorado nela. Minha mãe se preocupava com minha sanidade mental, afinal, que tipo de filha é essa que não consegue dar certo com ninguém? Que não consegue gostar de ninguém? Isso não é uma filha, é um androide.

Quando eu era mais nova ela se preocupava tanto comigo que me levou a uma psicóloga. "Tem algo errado, filha. Você só vai conversar com ela, ver se está tudo certo. Não vai demorar, prometo." E eu me sentei à frente de uma desconhecida que insistia em saber detalhes sobre mim. *Nome, idade, como foi a infância, quais são seus medos, sonhos, pessoa que admira. Desenhe um círculo. Agora uma árvore.* Era aula de desenho? Caso fosse, eu já estava reprovada. Não sabia nem desenhar boneco palito. *O que vem à sua cabeça quando pensa em amor verdadeiro?* Eu. *O que a palavra tristeza significa?* Algo temporário. Por Deus. Que tipo de perguntas eram essas? Sinceramente. Eu seria uma psicóloga melhor. Ah, seria.

No fim das contas, ela disse à minha mãe que eu não tinha nenhum problema sério. Que era uma garota que se desapegava fácil das coisas quando percebia que me faziam mal, e que isso, por um lado, era bom. Muito bom. Talvez por algum acontecimento da minha infância eu houvesse amadurecido além do habitual.

Minha mãe ficou mais tranquila. Ufa! *Sua filha não tinha nenhuma anomalia*. E ela poderia voltar a viver normalmente.

Eu estava orgulhosa de mim mesma. Pela primeira vez não estava idealizando um príncipe nos garotos com quem me relacionava. E isso era um passo à frente na minha evolução. Eu precisava deixar essa ideia banal na infância. Príncipes? Isso existe? E, a propósito, eu lá quero depender de homem para ter a minha salvação? Aqui não tem nenhuma princesa indefesa, não. Pode deixar que o dragão derroto eu e me solto das correntes sozinha. Se quiser me fazer companhia nessa fuga, tudo bem, pode vir. Mas sem essa ilusão de que vai ser meu herói salvador. A única pessoa que pode me salvar, bem, sou eu mesma. E eu me sentia satisfeita com isso.

Meu telefone toca. Que diabos de número é esse? Só pode ser o Pedro. Resolvo atender.

— *Hello*.

— Isa?

— Eu mesma, Pê! Que saudade que eu estava de você!

— Sério? As mensagens não lidas no seu Facebook dizem o contrário.

— Ah, você mandou algo? Eu tô meio sem tempo, sabe como é, faculdade apertada... Não vi mesmo. Desculpa.

— A-hã. Tiago apertando.

— Também. Ei, como você sabe que eu ainda tô com ele? A Amanda, aposto. Fofoqueira.

— Que nada! O Tiago mesmo me contou esses dias. Disse que tá "te curtindo" muito.

— Me curtindo? Mais o quê? O que ele disse de mim? Me conta?

— E desde quando você se importa com o que o Tiago pensa de você? Pensei que vocês eram ficantes esporádicos. Sem compromissos. Sem sentimentos.

— Não, isso mudou. Ele mudou, sabia? Agora ele tá um fo-fo. Supermaduro, supercavalheiro, superprin... Pê, que saudade de você!

— Hum. Mudou, então. Que bom. Fico feliz por vocês. Só te peço para tomar cuidado, o Tiago não é lá flor que se cheire... Sério...

— Ai, Pedro, que mania essa sua, hein? Sempre quando eu tô feliz com alguém você chega pra cortar minha onda, um saco!

— Eu sou um saco? Como seu amigo, achei que devia te alertar, só isso. Da próxima vez eu deixo você se ferrar sem avisos prévios.

— Dessa vez *eu não vou* me ferrar. Para de falar como se já soubesse o futuro.

— Talvez eu saiba.

— Talvez você seja um idiota.

— Você tá insuportável hoje. Eu vou desligar, amanhã vou à praia com a Savanna e preciso dormir agora, tô exausto.

Boa sorte com seu *príncipe encantado*. Me convide para o casamento. A gente se fala.

— Savanna? Quem? Peraí!

Ah, desligou. Que se dane. Idiota. Por que o Pedro tinha que ser um completo babaca nas horas em que eu mais precisava dele? Poxa, o que custava ter me dito o que o Tiago contou? Achei que amigo servia para isso, sabe, pra te contar as fofocas e coisas do tipo. Não para te colocar para baixo quando você está voando alto. Fiquei irritada, p. da vida mesmo.

Eu nunca interferia nos relacionamentos do Pedro, nem quando ele insistia em sair beijando um monte de garotas por aí. Segunda-feira, Fernandinha da faculdade. Terça-feira era dia da menina que trabalhava na loja da mãe dele. Quarta-feira era dia de videogame, sem mulheres. Quinta-feira, ele buscava alguma garota perdida na agenda do celular. Sexta-feira, ia à caça na balada. E, sábado, que antes era da Renatinha, agora, pelo visto, pertencia à Savanna, que eu imagino ser uma loira, bronzeada, surfista, que assiste ao pôr do sol ao lado dele. Ah, me poupe.

Passo a mão no telefone. Hora de ligar para a Amanda e ver se ainda está de pé nosso encontro duplo hoje à noite.

— Mandy? Sou eu.

— Oi, amiga. Ia te ligar agora. Hoje tá de pé, né? Já avisei o Victor.

— Claro, tá sim.

— Tá tudo bem por aí? Tá com uma voz de choro.

— Tá tudo bem, aliás, não, não. Não tá não. Você acredita que o Pedro acabou de me ligar e foi um idiota comigo no telefone? UM IDIOTA, AMANDA. Eu tô segurando pra não chorar, de raiva, claro.

—Calma, Bela. Me explica direito isso. O Pedro não é assim.

— Ah, tinha a Savanna, sabe, a loira, alta, bronzeada, em quem ele deve estar enfiando a língua no momento. E aí eles iam pra praia ver o pôr do sol. E eu e o Tiago somos o pior casal do mundo, tipo, muito ruim mesmo. E o Tiago vai me decepcionar, vai. E a Savanna não vai decepcionar ele. Não, ela não!

— Bela, respira. Conta até dez e me conta de novo. Eu não entendi na-da. Quem é Savanna? Céus!

Respirei fundo. Contei toda a história da nossa — singela — ligação telefônica. Quando terminei, a Amanda riu. Isso mesmo, RIU. Belos amigos os meus, belíssimos. Eu estava bem acompanhada.

—Tá rindo do quê?

—Não é tão na cara? — Agora ela gargalhava.

—O quê?! — perguntei, irritada.

—A Savanna e o Tiago.

—O que têm eles?

—Eles são legais, né?

—A Savanna é legal??? Traidora! Vou desligar.

Eu devo ter dito pra Jesus desapegar, só pode. Só isso explicava a série de acontecimentos na minha vida. Pelo menos eu ainda tinha o Tiago, meu pequeno riacho de sanidade no meio dessa loucura que vivo.

Combinei com a Amanda que ela e o Victor viriam me buscar e que daqui de casa seguiríamos para o restaurante. O Tiago tinha aula até tarde e chegaria um pouco atrasado ao nosso jantar. Sem problemas. Eu entendia perfeitamente, futuro médico tem dessas, né?

Como completávamos um mês juntos, arrisquei escrever uma cartinha para ele. Nada muito exagerado, apenas algo para ele lembrar que me fazia muito bem e que podia confiar em mim. Eu tenho meu lado romântico, ok, tá certo que escondo isso da maioria das pessoas, mas deixo vir à tona de vez em quando.

Demorei duas horas para conseguir arrumar meu cabelo do jeito que queria. Sabia que é um saco ter o cabelo liso-boi-lambeu? Vocês, que têm cabelo cacheado ou crespo, acham que a gente que tem cabelo liso é feliz? Pois eu digo: não. O que eu não fazia por duas horas de cachos nas pontas, ou até um pouco de frizz para dar um movimento? Ou pra conseguir colocar uma tiara sem que ela ficasse caindo na minha cara de cinco em cinco minutos? Aposto que a Savanna tinha frizz. Vaca.

Chegamos ao restaurante por volta das sete. Estava uma noite incrível, de lua cheia, assim como no dia em que saí com o Tiago daquela outra vez. Achei poético.

Enquanto o papo se desenrolava na mesa, cada vez mais a ausência do meu acompanhante pesava o ambiente. Oito horas. Ele disse que às oito estaria aqui. Apertei a carta que estava dentro da bolsa. Não faça com que me arrependa de ter confiado em você, por favor, desejei baixinho.

Nove horas. O Victor estava claramente preocupado com a situação e não parava de lançar olhares piedosos para mim.

— E aí, ele mandou alguma mensagem? Deve estar agarrado no trânsito. Juiz de Fora tá um caos ultimamente...

— Ele não me respondeu até agora — desabafo.

Mandei duas mensagens. Nenhuma obteve resposta. Sequer foram lidas. Tentei ligar, desligado. O meu estômago já sabia que tinha algo errado; ele não parava de se remexer, como se quisesse pular para fora do corpo. Não suportava mais se decepcionar. Eu sabia que era isso.

— Hum... A bateria pode ter acabado, né? — Amanda tenta ser positiva.

— Acho que não, Mandy. Vamos pedir a comida, sim? A noite não vai acabar por isso — minto.

A noite já estava acabada. Eu estava acabada. Acho que não conseguiria comer nem um grão de arroz quando o jantar chegasse. E sabe o que era pior? Eu conseguia escutar a voz do Pedro, vindo lá da Austrália, me dizendo: "Viu? Eu disse. Eu disse, Isabela. Eu sempre sei de tudo". Maldito.

Estava com uma raiva maior ainda agora. Tudo estava tão perfeito, tão certinho, que eu nunca imaginei que pudesse me decepcionar *tão* cedo. Tá, tudo bem. O Tiago pode ter sofrido um acidente (céus, bate na boca), estar em coma em um hospital, e eu aqui pensando essas coisas. Ele pode ter sofrido um AVC enquanto tomava banho para vir me encontrar. Pode ter furado o pneu e ter ficado parado em algum lugar escuro da cidade. Pode também ter sido sequestrado por bandidos que desejavam arrancar seus rins para vender no mercado negro, ou por, sei lá, alienígenas monstruosos atrás de humanos indefesos...

Mas se tem algo que aprendi é que nunca — nunca mesmo — acontece nada dessas coisas. Na maioria das vezes o cara está só te dando um bolo, porque é a maneira mais educada que ele consegue pra dizer "tô caindo fora". E era isso que estava se passando naquele momento. Eu tinha certeza.

Todo mundo que me odeia se dá mal na vida, não que eu faça algo pra isso, mas acho que meu anjo da guarda é vingativo

Isabela Freitas / @IsabelaaFreitas

CAPÍTULO 10

Que garota nunca se sentiu totalmente perdida?

Tem dias que dá vontade de sumir do mundo, evaporar, virar uma partícula de poeira e me esconder quieta em algum cantinho escuro do meu quarto. Sozinha. Hoje eu estava assim, exatamente assim.

Quando o coração aperta, eu tenho essa mania estranha de querer me fechar no meu mundinho. Não gosto que as pessoas enxerguem esse meu lado, o lado sensível. Sei lá. Não por medo de parecer fraca. É receio de que alguém perceba que sou superfrágil e que me quebro com facilidade. É só encostar e lá estou. Toda rachada, precisando de reparos urgentes. Chame isso do que quiser. Covardia? Talvez. Eu sou mesmo covarde quando se trata de assumir o sofrimento em voz alta.

Por que as pessoas não cansam de se decepcionar? O que nos motiva a acreditar outra vez? Por que não podemos simplesmente ser racionais e deixar a emoção um pouco de lado? Eu tento, juro que tento. Meu cérebro se cansa de mandar mensagens ao meu coração pedindo que tenha calma. Me diz: e ele escuta? É surdo. Surdinho. Ele não escuta nada. Já sai atropelando, passando por cima, querendo nova dose de sentimento. Só mais uma. Sempre mais uma. E tá, admito, eu sempre assino embaixo. Fazer o quê? Eu adoro embarcar em novas aventuras, poxa, como eu gosto. Coisa de sagitariana, acho. A gente tá sempre procurando por algo que dê um frio na barriga. Nem que precise andar em uma montanha-russa, subir, subir, com a certeza de que daí a alguns segundos a queda será fatal.

Racionalidade não tem mesmo nada a ver comigo. Pensar antes de se entregar? Também não. Analisar os riscos antes de se jogar do abismo? Muito menos.

Eu sou apaixonada por pessoas. Por sentimentos. Por emoções. Sou apaixonada por tudo aquilo que faça o meu coração vibrar. E nisso se inclui o sofrimento. Sofrer é poesia. Inspira. Quem sofre pode se renovar. É como a transformação da lagarta em borboleta. Tudo começa com um ovo de borboleta que é posto em uma folha de árvore. Desse pequeno ovo sai uma lagarta que, pouco a pouco, vai tecendo seu casulo com os fios de seda que produz. Ela precisa se esconder de tudo e de todos. Precisa de um tempo. A lagarta permanece dentro desse casulo, frio e seco. Preparada para cair. Demora semanas, às vezes até meses, mas esse casulo se rompe. E de lá sai uma linda borboleta, pronta para impressionar quem quer que a veja com seu brilho e suas cores vivas.

É mais ou menos assim que acontece com a gente. Precisamos nos permitir sofrer. Não adianta vestir um sorriso no rosto e dizer às pessoas que está "tudo bem", porque não está. Você sabe que não está. Fugir do sofrimento é adiar o inadiável. É fugir do próprio reflexo no espelho. Quem foge do sofrimento não o supera. Retém. E o nosso coração é pequeno para abrigar mágoas. O meu, por exemplo, tem três quartinhos. Três quartinhos que eu espero alugar para o amor e mais alguns sentimentos gostosos. Hóspedes tranquilos que me tragam paz.

Eu já fui o tipo de pessoa que sorri enquanto o coração dói. Tentava mostrar ao mundo que nada me abalava e que minha armadura era impenetrável. E o que isso me trouxe? Exatamente, não trouxe nada. Sabe por quê? Porque não precisamos provar nada a ninguém. Provar para o outro que somos fortes? Que não temos emoções? Que tomamos porrada atrás de porrada sem reclamar? Fala sério!

Sabe o que é fantástico? Perceber que ainda existe gente no planeta que se importa. No dia em que o Tiago me abandonou no restaurante, pedimos o jantar e, quando os pratos foram colocados na mesa, não consegui conter as lágrimas. Corri para o banheiro, seguida de uma Amanda que não sabia se me consolava ou se falava pela milésima vez que o Tiago era um idiota, que eu o deixasse para lá. Lembro que fiquei um bom tempo no banheiro, sentada em um daqueles sofás que um dia, tenho certeza, já acomodaram outra garota com o coração partido. Enquanto me permitia sofrer por uns minutos, fui surpreendida pela moça que era responsável por limpar o local. Ela disse:

— Menina, seja o que for que estiver sentindo, sinta. Se permita sentir. Lágrimas são sentimentos que saem do corpo. Ruins, bons. Nós somos pequenos demais, sabe? E às vezes não cabe tanta coisa aqui. Então despejamos um pouco em forma de lágrimas. Chore.

E me deu um abraço. Um abraço que durou mais de vinte segundos. Sabe o que isso significa? Li em algum lugar que a duração média de um abraço entre duas pessoas é de três segundos. Nós nos abraçamos uns aos outros rapidamente e logo damos um jeito de soltar os braços, sem graça por essa demonstração de afeto tão grandiosa. Entretanto, alguns pesquisadores descobriram algo fantástico. Quando um abraço dura vinte segundos, ou mais, há um efeito terapêutico sobre o corpo e a mente. A razão é que esse abraço sincero produz um hormônio chamado oxitocina, também conhecido como hormônio do amor. Essa substância traz muitos benefícios para a nossa saúde física e mental; nos ajuda a relaxar, nos faz sentir seguros e acalma nossos medos e ansiedades.

Esse maravilhoso calmante é oferecido de forma gratuita cada vez que temos uma pessoa em nossos braços, uma criança, ou nossos bichos de estimação, ou ainda quando estamos dançando com o nosso parceiro ou fazendo papel de ombro amigo nas horas difíceis. Como essa moça fez comigo. O abraço sincero dela mudou a minha noite e eu, mais uma vez, tive esperanças de que existam pessoas que se importam por aí. Elas só estão escondidas.

Algo muito curioso que eu aprendi sobre a decepção é que não adianta culpar o outro. Enquanto a Amanda balbuciava quão canalha o Tiago era, eu só conseguia pensar: "E eu? Não fui uma tola? Ingênua?". Por Deus, eu escrevi uma cartinha para ele e nós nem namorados éramos. A culpa dessa frustração era completamente minha, ah, era. Por acreditar demais. De novo.

O pior disso tudo era estar distante do Pedro, sabe? Ainda me lembro do dia em que o conheci. Aquela fatídica noite em que eu estava enfrentando uma das maiores decepções da minha vida.

Aquele garoto de olhos cor de céu e cabelos negros me fez feliz naquele dia. Assim como a moça do banheiro. A diferença é que, assim que bati os olhos nele, eu o odiei. Ele fumava, usava um casaco de couro da década de oitenta, tinha sorriso de conquistador, as calças largas e rasgadas. Ele falava com uma confiança excessiva e isso me irritava um pouco. Quer dizer, muito. Ninguém é assim tão confiante 24 horas por dia. Todos temos nossas fraquezas, e a minha, bem, a minha era chorar em locais públicos. Como todos já devem ter percebido.

Quem diria que aquele garoto antipático ia se importar em saber o motivo da minha tristeza e entrar na minha vida de forma permanente? O destino é mesmo um engraçadinho.

Passo a mão no celular. Hora de deixar o orgulho de lado.

Atende. Atende. Por favor, me atende.

— Alô? Pedro?

— *What?* — responde uma voz feminina do outro lado da linha.

Em inglês. Legal.

— Ah, oi. Eu queria falar com o Pedro, ele está?

Eu não faço a mínima ideia sobre por que eu estou falando português com uma australiana. Logo, dou um jeito de ressuscitar meu inglês adormecido e peço que ela chame o Pedro. Claro que ela diz que ele não está. Não é uma maravilha?

Já estou quase desistindo quando escuto uma voz dizendo, ao fundo, que ela passe o telefone para ele. Meu coração para. É o Pedro!

— Oi? Desculpa. Eu estava no banho, aqui tá um calor de matar. Isa?

— Como você sabe que sou eu?

Sério. Como ele sabe?

— Eu sei de tudo. Esqueceu?

Pela voz dele, nós não estamos mais brigados. Isso é um alívio.

— Ah...

As palavras começam a escapar. Eu tenho tanto para falar... Sinto como se minha mente fosse ressetada de repente. Culpa da maldita gringa que atendeu o telefone. Eu esperava que o Pedro atendesse de imediato e não que estivesse no banho, enquanto sua Savanna estava deitada na cama dele, aguardando-o para outra rodada. Essa cena me desconcertou. Não sei por quê.

— Isa? O que aconteceu? — pergunta o Pedro, preocupado.

Tomo fôlego e desato a falar.

— Aconteceu que tudo aconteceu. A Savanna aconteceu, apareceu, e fez você brigar comigo. Te levou pra praia, vocês estenderam uma canguinha brega com uma estampa da bandeira do Brasil e tiraram fotos pra guardar para a posteridade. Depois eu fiquei me sentindo uma idiota porque quem era a Savanna perto do babaca do Tiago, né? A Savanna comparecia aos jantares de vocês, e ela sorria e acenava, enquanto vocês passavam a imagem de um casal perfeito. O Tiago sequer respondeu às minhas mensagens, e tá, eu escrevi uma cartinha idiota para ele, foi idiota mesmo. Mas eu gosto de escrever, você sabe. E eu gosto de me apaixonar, não que eu tenha me apaixonado, eu só estava *gostandinho* um pouco, entende? Eu achei que ia me apaixonar. DE NOVO. Eu caí na minha maldição do *Filme da Isabela* de novo e, pra piorar, como sempre, você me avisou muito antes de acontecer. E eu te odiei, ah, odiei mesmo. Eu desejei baixinho que a Savanna tivesse chulé ou algo do tipo. Que ela roncasse, sei lá, algum defeito que fizesse dela uma humana, ou que fosse tão ridícula como os caras que eu arrumo. Porque só assim pra eu parar de me sentir a pior pessoa do mundo, que só se relaciona com as outras piores pessoas do mundo. E eu fiquei com saudade de você, só que não podia te ligar antes, porque, né?, você foi um estúpido. Um estúpido que só disse a verdade. É que ouvir a verdade dói, não acha? Agora eu tô aqui. Deixei o orgulho de lado, resolvi te ligar e o que me aparece? A Savanna nua, na sua cama, atendendo telefonemas. Enquanto você toma um banho refrescante. Ah, por favor.

E ele ri descontroladamente. Demasiadamente. Fica uns dois minutos gargalhando alto, sem brincadeira. Enquanto eu encaro, estática, o telefone, à espera de uma resposta, o Pedro ri. E ri. E ri ainda um pouco. E eu não entendo qual é a graça. Será que minha vida está tão patética assim?

— Pedro? Sério. Se você continuar rindo eu vou desligar e não ligo de novo tão cedo.

— Ai, ai. Espera, espera. — E ri mais um pouquinho. — Então, é que eu não te aguento.

— Não me aguenta? Hein?

Minha voz está alterada, que se dane.

— É que você é muito bonitinha.

E aí quem não entende nada sou eu. Bonitinha? Bonitinha? Eu estou aqui abrindo meu coração, desabafando tudo de ruim que vem acontecendo na minha vida e ele diz que isso é bonitinho? Bonitinho seria se eu estivesse com um gostosão australiano. Isso, sim. O que está acontecendo na minha vida é horrível. Uma catástrofe mesmo.

— Bonitinha? Você só pode estar de brincadeira comigo. Eu tô aqui sofrendo, será que podemos focar nisso?

— Tá, tá. Primeiro: eu não estendi uma canguinha brega com a bandeira do Brasil na praia com a Savanna. Nem tiramos fotos para a posteridade.

— Mas enfiou a língua na boca da Savanna!

— Isabela.

— Pedro, pode me falar. Você não tem culpa de ter uma vida amorosa melhor do que a minha, sabe? Eu já estou acostumada. A Amanda tá lá superfeliz, e eu fico feliz por ela. E se você estiver feliz, eu vou tentar ficar também. Apesar de achar essa Savanna uma metida, acredita que ela nem me respondeu direito no telefone? Ela se fez de desentendida. Pff.

— Isa, esquece isso de Savanna. Ok? Deixa eu te dizer uma coisa... Eu sei que você deve estar se sentindo sozinha aí, sem seu melhor amigo por perto pra te alegrar e tudo o mais.

Ele faz uma pausa dramática para enfatizar que me alegra. Tá.

— Eu só te peço para aguentar até eu voltar. Será que você consegue? Ficar um tempo sem se meter em roubada nem catar caras canalhas abandonados na rua?

— Sinto dizer, acho que não consigo. Eu sou um ímã pra esse tipo de coisa.

E era verdade. Até quando eu não queria me meter em roubada, eu me metia. E isso era, tipo, quase sempre. Começava o dia pensando: "Hoje vai ser tudo normal, tudo numa boa, na paz de Jah". Mas sempre acontecia algo, como sair de casa sem guarda-chuva em um dia de chuva, e de vestido branco. Acho que defini legal.

— Isa, para de ser dramática. Você faz drama com tudo! Olha, escuta só, pega esse mês em que você vai entrar de férias, aluga uns filmes, assiste às séries que você tanto gosta. Ou então lê aqueles livros que ficam guardados no seu caixote de "Para ler quando tiver tempo". Que tal? Se afunde em histórias que não existem, saia um pouco da realidade. Você tá precisando de um tempo pra você, tempo que eu sei que você está tentando ter desde que terminou com o Gustavo e não conseguiu.

Pronto, agora me impressionou.

— Verdade. Nossa... verdade. Como você sempre sabe tudo, hein? Poxa vida, eu poderia ter pensado isso sozinha.

— Só que não pensou. É por isso que você precisa de mim, branquela.

— Branquela, pff. Só porque a Savanna é bronzeada. Fique você sabendo que esses dias eu fui tomar sol no clube e estou supermorena.

Quando é que o Pedro ia perder essa mania de me provocar? Tudo bem que eu adorava provocar os outros, mas, ei, só eu podia fazer isso.

— Eu imagino, deve estar da cor do pecado.

— E estou mesmo.

— A-hã — ele diz, debochando, é claro.

— Tá. Então tá tudo bem entre a gente, né? Porque, sabe, o que eu menos precisava é ficar brigada com você.

— Sempre esteve tudo bem entre a gente, não?

— Acho que sim. Ok, vou desligar, senão a minha mãe vai me matar quando chegar a conta do telefone. Vou passar um mês dando um tempo para mim. E volta logo, por favor. Eu não aguento mais me sentir sozinha nesta merda de cidade.

— Logo mais eu volto, branquela. Se cuida aí. Qualquer coisa sabe que pode me ligar, né? Prometo que a Savanna não vai atender da próxima vez.

— Acho bom. Se cuida também e boa sorte com a Savanna.

Por que eu estava desejando boa sorte com a Savanna? Certamente um anjo da paz estava ao meu lado agora, porque só isso poderia explicar a minha bondade repentina.

— Obrigado. Vou precisar.

E desligou.

O Pedro tinha realmente o dom de acalmar o meu coração, mesmo a quilômetros de distância. Coisa de melhor amigo, né? Eu juro que depois dessa ligação estava até simpatizando com a Savanna. Tá bom, confesso, eu ainda desejava que ela tivesse chulé. Só um chulezinho, coisa boba.

"Eu gosto de gente confiante, que se acha, bate no peito e fala "eu sei que você nunca vai me trair, porque eu sou apaixonante demais, né?"

Isabela Freitas / @IsabelaaFreitas

CAPÍTULO 11

Onde o "algo mais" se esconde

O dia amanheceu confuso. Primeiro, porque sonhei com o Gustavo. Peraí, Gustavo? Era só o que me faltava. No meu sonho ele estava dando um dos seus famosos ataques de ciúmes. Típico. Por um momento, até achei que fosse real e fiquei me perguntando: "Por que eu namoro esse cara patético mesmo?". Mas daí abri os olhos, olhei para o teto estrelado do meu quarto (ganhei do Pedro ano passado, são estrelas adesivas que brilham quando apago a luz! Ah, eu já disse que amo estrelas? Bem, eu amo. Amo mesmo) e vi que não passava de um sonho. Ufa! Até nos sonhos o Gustavo era um saco.

Sorri. Lembrei-me do dia em que ele fez o maior auê porque um cara me chamou de "loira gostosa" no meio da rua. Pois é.

— Gu, onde tá aquele CD que a gente gosta, hein? Não tô achando aqui no porta-luvas — pergunto, em uma tentativa inútil de puxar assunto, visto que o bico dele devia estar chegando na China, de tão grande.

Ele não responde.

— Gustavo, e aquele seu amigo, o Nilo? Terminou o namoro mesmo? — tento de novo.

Por que eu era idiota assim? Um mistério, certamente.

— Por quê? Tá a fim de ficar com ele? — responde, entredentes.

— O quê? Hã? Ficar com ele? Tô só querendo conversar, seu mal-humorado — retruco.

Ah, não. Sinceramente. Eu devo ter mandado Jesus Cristo desapegar, porque minha vida não é nada legal. Não mesmo.

— Você que é vadia.

Incrível, não? Ele me chamou da palavra com "v". Em alto e bom som. V-a-d-i-a. Eu era uma v-a-d-i-a. Sabia que não existe nada pior do que ouvir da pessoa que você gosta uma coisa dessas? É depreciativo, dói na alma. É como ouvir a sua mãe dizer que nunca te quis, ou algo do tipo. Eu já não era loucamente apaixonada pelo Gustavo, só que isso me doeu tanto, que eu tive vontade de morrer. Ali mesmo, no cantinho escuro do carro. Fiquei sem reação, afinal, como se responde a uma ofensa dessas? Vou chamá-lo de idiota? Estúpido? Nada se compara a um "vadia". E por que diabos ele estava me chamando assim? O que eu tinha feito? Eu estava a fim de conversar, poxa. Então eu pergunto:

— Vadia? Por que vadia?

Eu não consigo pensar em nada melhor para dizer e acabo por perguntar por que sou uma vadia. Ok. Que se dane.

— Não se faz de boba, Isabela... — diz, áspero, com um sorriso sarcástico no rosto.

Eu odeio quando garotos são sarcásticos e debocham da nossa cara. Tudo bem, eu admito, eu sou sarcástica na maior parte do tempo, mas, caramba, é um sarcasmo saudável, só ironia bem-humorada, não faz mal a ninguém. Não era esse sarcasmo que diz não-se-faz-de-boba-sua-ridícula-eu-sei-o-que-você-fez-no-verão--passado. E aí você se pergunta: "O que eu fiz, hein?". Será que foi naquele dia em que recusei a ligação dele quando estava no cinema com a amiga? Ou no dia em que disse que queria ficar sozinha e fui dormir na casa do Pedro para ver filmes da Disney a noite toda? Ah! Já sei. Ele deve ter descoberto que fui eu que quebrei o vaso de porcelana do banheiro da casa dele no dia em que não conseguia me enfiar num vestido um número menor que insisti em comprar. Mas vadia? Não justificava. Não mesmo.

— Olha, eu não sei do que você está falando. Se quiser conversar como adulto, eu estarei aqui.

(Uma dica: quando estiver discutindo com um garoto e ele começar a ser infantil com você... Não seja infantil de volta. Aja com maturidade, fale algumas palavras difíceis e deixe que ele pareça estúpido sozinho. Sempre funciona.)

— Quer mesmo que eu fale o que você fez? — pergunta um Gustavo esbaforido, vermelho de raiva.

— Quero, uai!

— Você, com esse vestidinho aí, naquela hora em que fomos na sorveteria passou um rapaz do seu lado e disse: "Nossa, que loira gostosa". Ridículo. Ridículo. Olha seu vestido. Fiquei com nojo quando ele disse isso.

— Nojo dele, você quer dizer, né? — dou uma chance para que *ele* não seja ridículo.

Gustavo não aproveita, claro.

— Não, nojo de você.

— Para o carro que eu vou descer.

— Para de show. Não precisa disso.

— É sério, Gustavo. Agora. Eu vou descer, você parando o carro ou não. Escolhe.

— Para de drama, Isabela. Tá perdoada.

— GUSTAVO, EU NÃO QUERO O SEU PERDÃO. EU QUERO DESCER DESTE SEU CARRO NOJENTO! A-G-O-R-A!

Em meio aos meus gritos, ele foi forçado a encostar o carro e eu desci sem olhar para trás. Definitivamente, se o copo estava cheio, vazando por todos os lados, agora ele havia transbordado. Não havia nada mais para aguentar o peso daquela relação. Qualquer base que um dia pudéssemos ter construído caíra ali, naquela quarta-feira em que decidimos sair para tomar um sorvete como um casal normal. A diferença era que nós estávamos longe de ser um casal normal.

Fico pensando o que meu pai diria (ou faria) se soubesse de uma coisa dessas. Quero dizer, ele cuidou da sua pequena e frágil princesinha por anos pra chegar um babaca e tratá-la como lixo? Quebrá-la em pedaços? Não, não. E é por isso que eu nunca contei pros meus pais o que o Gustavo fazia, e fez. Eles não mereciam esse desgosto, sabe? Até porque parte disso é um pouco culpa minha. No primeiro sinal de agressividade e ciúmes eu deveria ter caído fora e não ter insistido, perdoado, aceitado. Por mais que a gente queira e deseje que as pessoas mudem, se não quiserem mudar elas simplesmente vão continuar as mesmas. Ou, na maioria dos casos, até piores.

Acontece que, durante um relacionamento, é comum tapar os olhos para não se magoar tão facilmente. As mágoas começam pequenininhas, tímidas, diria que até educadas, como se pedissem: "Ei, posso te magoar um pouquinho? Só um pouquinho, vai. Juro que não vai doer". E você deixa, sem reação, porque o que você sabe sobre o amor é tão pouco, e tão pequeno, que não é suficiente para afirmar: "Ei, desde quando o amor dói?". E você se machuca. E você sangra. E a ferida cicatriza. E abre de novo. É um ciclo no qual os dias ruins são como os dias da semana, e os dias bons são uma sexta-feira, seguida de um sábado, até que o domingo vem para te lembrar quão miserável a vida é.

No fim de tudo, a gente se questiona: "Como eu suportei isso por tanto tempo?". E eu digo: "Porque você é mais forte do que imagina". Sabe, todos esses anos que você passou insistindo na relação com uma pessoa que não deveria, os anos que passou se machucando, se decepcionando, dando a cara a tapa... eles não foram de modo algum anos perdidos. Foram anos da academia da vida. Veja só, eu, de tanto cair, me tornei profissional em me levantar com um sorriso no rosto e dizer: "Relaxa, gente. Foi só um tropeço de nada. Tá tudo bem, viu?". E realmente. Foi só um tropeço entre os muitos que vou tomar durante a minha estadia aqui na Terra. Deixa pra lá, né?

Lembrar-se do passado com um sorriso no rosto é a prova de que o passado não te machuca. Não mais.

Hoje eu estava assim.

Trim-trim-trim.

Oi? Que som era esse?

Trim-trim-trim.

Acho que o mundo real estava me chamando pelo celular.

— Isa! Nossa, será que você pode atender esse telefone ao menos uma vez?

Reconheço a voz do outro lado da linha, é a Amanda.

— Mandy, desculpa. Estava com a cabeça no mundo da lua. O que você manda? — respondo, enquanto observo o Frederico olhar para "o nada" com aqueles olhos verdes esbugalhados.

Às vezes, eu juro que esse gato vê coisas que eu não vejo.

— Vamos fazer uma noite das meninas hoje? Li no Facebook que você alugou um montão de vídeo, o Victor viajou e eu pensei que nós poderíamos comer e chorar juntas vendo filmes. Que tal?

— Claro, mas sem a parte do choro, por favor. Não aguento mais chorar.

Eu havia alugado todos os meus filmes preferidos de todos os tempos. Tá, eu adoro ver de novo filme que já vi. E daí? Isso não faz de mim uma pessoa estranha. Ou faz? É que eu gosto de assistir sabendo como termina, entende? Me dá uma agonia enorme quando vejo um filme pela primeira vez e não sei se o mocinho vai ficar com a mocinha, se eles vão ser felizes para sempre, se todos se casam no final, se o mundo vai ser salvo, sabe? Não que eu ache que sempre tenha de haver finais felizes. Mas dá um conforto no coração se a gente sabe que vai dar tudo certo. Já que na vida tudo é tão incerto, pelo menos na tela o final nunca muda. E os personagens podem ser felizes toda vez que assisto.

Minha listinha de filmes preferidos de todos os tempos:

(500) dias com ela
Keith
Um porto seguro
Um dia
Ironias do amor
As vantagens de ser invisível
Um amor para recordar
Casa comigo
Efeito borboleta
Doce novembro

Quase tudo que eu sei sobre o amor aprendi com meus filmes e livros preferidos. E não me leve a mal, é que eu nunca vivi um amor para saber como é. Então, é justo procurar saber um pouco mais sobre ele no que vejo por aí. Quanto mais conheço sobre o amor, percebo que menos sei. Parece que ele é uma pequena partícula de nada, que muda a cada segundo de forma e de lugar. Quer dizer, o amor existe mesmo? Ou é uma das teorias de conspiração espalhadas pelo mundo? Vai saber...

O problema é que eu sei que o amor existe, sei sim. Sei que o amor existe quando vejo um noivo se emocionando ao olhar sua noiva entrando pela igreja. Sei que o amor existe quando olho para a minha mãe e tenho vontade de arrancar o coração fora de tanto carinho e ternura. Sei que o amor existe quando os olhinhos do meu pai brilham de orgulho ao falar sobre mim. Sei que o amor existe quando dou comida ao Frederico e ele se esfrega em mim como agradecimento. Eu sei. Ele, o amor, existe. Só insiste em fugir de nós.

Um filme que me marcou muito foi *(500) dias com ela*. Eu me identificava bastante com a Summer e acho que desde o início compreendi o que ela sentia. A gente se preocupa com rótulos, com o futuro, com as coisas certas, e isso cansa. Se vivêssemos mais despreocupados talvez fôssemos — e nos permitíssemos ser — bem mais felizes. A Summer era feliz do seu jeito. Sem se apegar a qualquer um só porque esse um lhe fazia bem, qual é? Achar alguém que nos faça bem é fácil. Difícil é achar alguém que faça o nosso coração bater forte. O que aconteceu com o Tom, personagem do filme. O amor pode ser unilateral, sabia? Eu aprendi isso com *(500) dias com ela*.

E mesmo que você morra de amor, ainda é possível nascer de novo. Com o amor não tem essa de ter fim após a morte. Morrer de amor é renascer para um novo amor.

Assim que acabamos de ver esse filme, Amanda estava revoltada.

— Não entendo. Como ela não consegue amar um cara como o Tom? Ele é tão... *perfeito* — diz, enquanto observa a capa do DVD com os olhinhos semicerrados.

— Ah, não é bem assim. Ele não era o cara certo para ela — rebato.

— Ele é o cara certo para qualquer garota, Isabela. Fala sério!

— O certo para você às vezes não é o certo para mim. E o perfeito para uma pessoa pode ser muitas vezes o imperfeito, entende?

— Não. Não entendo. Ainda acho que ela é burra.

— Eu acho que ela é fantástica. Não é fácil resistir ao "perfeito", sabe? Ela sabia que ele era tudo de melhor que ela poderia ter, um rapaz que, com certeza, faria de tudo para fazê-la feliz. Mas ela queria algo mais. Algo que a emocionasse de verdade.

— Meu Deus, louca. Louquinha. Eu nunca recusaria um homem desses na minha vida.

Sorri. Eu sabia disso. Amanda Akira era o tipo de garota que minha mãe se orgulharia de ter como filha. Gostava das coisas certas, ajeitadas conforme deviam ser. Arrumar um bom "futuro marido", um rapaz decente, trabalhador, que fizesse bem a ela... isso bastava. Esse papo de que ele devia fazer seu coração bater mais forte e causar a estranha sensação de frio no estômago era balela. Papo pra boi dormir.

Segundo minha mãe, "livros são ilusões de como o amor deveria ser. E não de como ele realmente é". Discordo, pois como seria criada a ilusão sobre o amor ideal por alguém que nunca viveu nada daquilo? Só consegue descrever o amor puro e límpido alguém que já o viveu de todas as formas. E eu acredito, acredito mesmo, nos poemas e nas histórias que vi por aí. Sei que elas aconteceram e marcaram a vida daqueles que as escreveram.

A Amanda encontrara seu porto seguro. Ele não a fazia morrer de amor, não que ela estivesse disposta a isso. Ele lhe dava segurança, e isso, para ela, era a idealização do que o amor deveria ser. Achei que não deveria discordar, afinal, e se ela estivesse mesmo certa? E se minha mãe estivesse certa? Que eu nunca vou achar alguém que faça o meu coração acelerar como se estivesse a 200km/h em uma infinita *highway*?

Pensar nisso me fez lembrar o dia em que surgiu a expressão *Filme da Isabela*, lá no sítio da Amanda. Nesse dia, quando o Pedro e a Amanda foram dormir, eu continuei sentada na varanda esperando que o sol chegasse para me fazer companhia. O céu estava maravilhoso, numa mistura de tons rosados e azuis formando um espetáculo inacreditável. Quis ser capaz de voar e sentir, só por alguns minutos, a sensação que os apaixonados descrevem como "pisar em nuvens". Enquanto me encontrava absorta em pensamentos sem sentido, senti alguém se acomodar a meu lado no banco de madeira duro e frio.

Era o Pedro. Pedro Miller era um garoto que escondia mais do que mostrava. Apesar de ser meu melhor amigo, eu ainda achava que sabia bem pouco sobre ele. Todo esse lance da separação da sua família, do irmão gêmeo que ele só conhecia por fotos, do ódio pelo pai e por tudo que ele passou o fizeram crescer em um casulo. Como se tivesse de se proteger o tempo todo de um eventual ataque. Mas tinha momentos em que ele se permitia sentir. E eu intuía que esse era um desses momentos.

— Tá fazendo o que acordada ainda, branquela? — diz ele, com um sorriso forçado no rosto.

Sei disso porque os olhos tristes não me enganam.

— Sem sono — retruco, ainda deslumbrada com o céu rosado.

— Hum. Tive um pesadelo e resolvi vir tomar um ar. Só não esperava encontrar um pontinho loiro bêbado sentado aqui fora. Tá com frio?

— Eu tô. — E, assim que digo isso, ele começa a tirar seu casaco de couro para me dar, provavelmente. — Não, não. Não preciso do casaco. Eu quero sentir frio.

— Hã? Tá louca? Põe esse casaco logo, Isa — responde ele, enquanto tenta empurrá-lo para cima de mim.

— Não, é verdade. Eu gosto de sentir frio. Me faz perceber quão vulnerável eu sou. E quem sabe então eu não sinta alguma coisa percorrer o meu corpo.

— Como assim?

O casaco agora jaz perto de nós, nos separando por alguns centímetros.

— Sei lá, sabe, eu não tô bêbada mais. Tô falando sério. Eu não sinto nada, Pedro. Nada mesmo. Eu sempre tento sentir, faço de tudo pra que uma pontinha de sentimento esquente o meu corpo. Ela nunca vem. E eu não sei o porquê ou o que eu fiz para merecer isso. Ou não merecer, no caso. — Sorrio, infeliz. — Entende?

— Nossa, profundo, branquela. Acho que vou experimentar um pouco disso também.

E nós dois passamos exatos vinte minutos em silêncio, olhando o nada, escandalizados com o show que o sol dá ao nascer.

Olho de soslaio para ele. Os olhos azuis iluminados pela luz do sol estavam mais bonitos do que de costume. A cicatriz na bochecha esquerda agora estava mais evidente, e a tristeza que sempre habitava a sua expressão estava ali também, escondida, embora eu ainda não conseguisse ver. Eu não entendia muito bem o Pedro, mas gostava dele. Gostava mesmo. Por mais que ele aparentasse estar feliz com a vida que levava, eu sabia que, assim como eu, ele procurava por seu "algo mais". E isso me fazia sentir um pouco menos solitária. Todas essas meninas com quem ele ficava não passavam de meras distrações na sua vida. O Pedro parecia não ter sentimento algum na maior parte do tempo, como se ele realmente não se importasse nem um pouco com ninguém. No entanto, ele se importava comigo. E se importava com a Amanda. E isso me dava a esperança de que seu coração, mesmo machucado, ainda fosse capaz de sentir algo. Não suportava olhar para seus olhos tristes.

— Tá pensando no quê? — ele interrompe o silêncio.

— Nos seus olhos — digo, sem pensar.

Merda, merda, merda. Isso de falar a primeira coisa que vem à minha mente qualquer hora vai me fazer entrar em uma encrenca, das piores.

Ele vira e me encara. Sem dizer uma palavra.

— Quero dizer, em como seus olhos são bonitos, entende? Eles são azuis, e azul é uma cor, tipo, muito linda. Queria eu ter olhos azuis como os do meu pai e como os seus, só que os meus são castanhos, e castanho é muito sem graça, né? — tento suavizar.

Eu e minha mania de sair falando igual a uma louca quando fico nervosa.

Ele sorri.

— Ahã. Azul é muito bonito, *mesmo*. Então você gosta dos meus olhos?

E, nesse momento, eu pude jurar que ele estava flertando comigo. Não, não. Nós éramos melhores amigos e eu estava carente. Não deixe sua mente te pregar peças, Isabela.

— Então é assim que você conquista todas aquelas garotas, né? Juro que pude visualizar a cena de você falando isso pra uma de suas ficantes abestalhadas.

— Não exatamente.

— Hã? — pergunto.

— A diferença é que eu não me importo mesmo se elas gostam ou não — responde ele, dando de ombros, enquanto acende um cigarro.

— Como assim?

— Deixa para lá. Um dia você entende. Que visual maneiro — divaga, mudando de assunto. — Nem dá vontade de dormir.

— Verdade... Pedro, você já sentiu como se estivesse "pisando em nuvens"?

— O quê? De onde surgiu isso? — E ri. — Você tem cada pergunta...

— É que eu li um livro em que a personagem principal fala que "amar é como pisar em nuvens", e eu queria saber como é essa sensação. Estava pensando nisso um pouco antes de você chegar.

Ele respira fundo, solta a fumaça do cigarro:

— Bom, se é essa a sua pergunta, não, eu nunca amei ninguém.

Me viro para ele, espantada.

— Nunca? Nunquinha? Mas você já ficou com tantas garotas, e poxa, achei que já tivesse pelo menos se apaixonado por uma delas. — Eu realmente pensava isso.

Como se chamava aquela menina mesmo? Helen. Ele até chorara por ela uma vez.

Então ele se vira para mim e me encara, franzindo o cenho.

— Isso é sério, Isabela. Se apaixonar, todo esse lance de amor, sei lá. Acho que não é para mim. Eu nunca aprendi como é isso e duvido que um dia consiga aprender.

— Ah, eu também. — Sorrio, meio que encorajando-o. — Relaxa. Um dia você se apaixona, tenho certeza.

— Você fala como se todo mundo quisesse isso.

— *Eu* quero isso. Você não?

— Você idealiza muito esse lance de amor, paixão, histórias de filme, livros. Eu, por outro lado, já aceitei que isso não existe e aceitei viver assim. Sozinho.

— Não entendo por que você se fecha tanto no seu mundinho — emendo, resolvendo ser sincera.

Afinal, não era isso que estávamos tendo agora? Uma conversa sincera?

— No meu mundinho? O que você quer dizer com isso? — Ele se espanta.

Poxa, e lá foi outro cigarro do seu maço amassado de Marlboro vermelho.

— É, no seu mundinho. Eu sinto que, por mais que eu te conheça e seja sua melhor amiga há anos, ainda não sei nada sobre você. Como, por exemplo, todo esse lance da sua família, de você ter sido separado do seu irmão gêmeo quando vocês tinham um ano. A briga dos seus pais eu nunca entendi. Sei lá, você não desabafa sobre isso, e poxa, eu desabafo sobre tudo o tempo todo contigo. Eu sinto como se você não confiasse em mim o suficiente para abrir o coração... E eu odeio sentir isso.

— Isa, para com isso. Eu confio em você, mais do que em qualquer outra pessoa do mundo, exatamente por você ser assim, coração aberto. Esse seu jeito de sair contando a vida pra todo mundo, sem ter medo de dizer o que sente, é o que mais admiro. Me desculpa por te fazer pensar assim. Nunca foi minha intenção. Quando se trata de sentimentos, eu sou completamente oco e vazio. E é por isso que nunca falo deles.

— Tá, mas se um dia você sentir alguma coisa aí dentro promete que me conta?

Ele sorri. E dessa vez de verdade.

— Prometo. Se o "algo mais" aparecer, eu te conto.

Sorrio de volta.

Será que o nosso "algo mais" ia demorar?

— Ei, Amanda, você acha que o Pedro se apaixonou por essa Savanna? — pergunto, aparentemente desinteressada, enquanto escolho o próximo filme a que vamos assistir.

— Ah, sei lá. Ele não me contou muito sobre ela. Só disse que estavam se divertindo bastante — responde, com a boca cheia de pipoca. — Nossa, essas pipocas estão muito boas. Você já olhou as calorias? Tem muita, é?

— Não, tem não, pode comer. — Eu não tinha olhado caloria nenhuma, porém achei que devia tranquilizar minha amiga-com--mania-de-contar-calorias. — Mas, hein, se ele tá apaixonado por ela e não me contou, olha, já vou dizendo, vou ficar chateada. Uma vez ele me prometeu que ia me contar quando sentisse "algo mais".

— Ah é? Hum. Quando isso? — ela quer saber.

— Ah, naquele dia no sítio dos seus pais. No dia da tequila, você sabe. *Aquele* dia.

— Eu não me lembro disso. Que horas ele disse isso?

— Ah, é que vocês foram dormir e eu tava sem sono, sabe? Aí fui ver o sol nascer, para tentar melhorar a bebedeira e refletir um pouco sobre a vida, você entende, né? Daí ele chegou e me fez companhia. Disse que tinha tido um pesadelo, ou algo do tipo, e ficamos conversando um tempo. E ele me prometeu que contaria se sentisse o "algo mais" um dia.

— Ahnnnnn, entendi. Vocês dois, hein? — diz, enquanto joga os pés sobre o meu colo e se deita no sofá da minha sala igual a um panda japonês que ama pipocas.

— O quê? — pergunto.

— O quê, o quê?

Olho para ela sem entender nada.

— Vamos ver *Casa comigo*? — diz a japonesa que dizia ser minha melhor amiga.

E eu deixo para lá o que ela quis dizer com "vocês dois". Detesto quando a Amanda parece saber mais do que eu. E olha que isso acontece quase 90% do tempo.

"E mesmo que o céu desmorone sobre nossas cabeças, ainda estaremos em meio às estrelas

Isabela Freitas / @IsabelaaFreitas

CAPÍTULO 12

Dois corações partidos às vezes se encaixam

Aconteceu quando eu tinha oito anos de idade e ainda era um pontinho pequeno e frágil na imensidão deste mundo. Baixinha, de bundinha arrebitada e perninhas grossas, como dizia meu avô. A cabeleira loira terminava em cachinhos que pareciam feitos a mão, apesar de serem apenas resquícios da infância que a cada corte de cabelo davam adeus. Os olhos, sempre brilhantes, sonhadores e de um castanho profundo. Essa era eu; ou eu era essa.

Sei que tudo começou em um domingo de sol. Três de janeiro de 1999. Fazia uns 27 graus aqui em Juiz de Fora, ou seja, estava calor pra caramba. Me lembro que havia contado nos dedos os dias para que chegasse 3 de janeiro. Dezesseis longos dias. Mal consegui pregar os olhos durante a noite da véspera, já que o tique-taque do relógio me lembrava, com urgência, que a manhã estava chegando. Que *ela* estava chegando.

Me levantei e fui checar minha bolsa de suprimentos. Bonecas, um pacote de biscoitos Passatempo, um saco de suspiros feitos pela minha avó e um livro de história que ela nunca havia escutado. Tudo certo.

Corri até o quarto dos meus pais e entrei sem nem bater na porta.

— Pai! Pai! Acorda. Hoje é dia de ir pro clube! — eu disse, enquanto puxava a coberta de seu corpo e pulava em cima da sua barriga macia (pelo menos, eu achava macia).

— Isabela, já tá acordada, menina? Por que isso, hein? Tá cedo demais — resmungou meu pai, afagando os meus cabelos e me despenteando toda.

Minha mãe o encarou com um olhar sério, como se não acreditasse que ele tivesse esquecido.

— André... é hoje que *ela* volta — explicou.

— Ah! Nossa, como me esqueci... Claro, claro. Já está pronta? Vou colocar uma roupa e te levar pro clube, sim?

Retribuí com um sorriso. Eu amava meu pai. E não era só porque os pais são nossos heróis ou coisas do tipo. Eu amava a paciência dele comigo e a sua dedicação. Eu sabia que era um saco me levar ao Clube Cachoeirinha todo domingo para que eu pudesse me encontrar com ela. Mas eu achava que isso fazia parte do que é "ser pai", não é? Ficar feliz com a felicidade do filho. Bem, eu gostava de pensar assim.

Nós sempre viajávamos juntas para Cabo Frio nas férias. Alugar uma van, arrumar as malas, preparar as roupas de banho, acordar cedo e cair na estrada. E lá se passavam dias e dias de muito sol, areia e protetor solar. Eu amava os nossos verões juntas. Naquele ano, no entanto, o meu pai disse que estávamos com o orçamento apertado e perguntou se eu entendia o porquê de não acompanharmos os Ferrari na viagem pra Cabo Frio. Tudo bem, eu entendia. Seriam só alguns dias mesmo. Fiz com que *ela* prometesse que traria algumas conchinhas da praia para mim e, em troca, eu levaria alguns suspiros feitos pela minha avó para ela. Trato feito.

A Sara era minha melhor amiga. Sabe aquela amiga de infância que está presente em todas as suas lembranças? Era o que ela representava pra mim. Sara era, decerto, uma das criaturas mais diferentes que eu já tive o prazer de conhecer. Os cabelos eram negros demais, sempre presos em um rabo de cavalo com uma fita vermelha. A pele era alva e os olhos eram ora verdes, ora azuis. Eu nunca consegui distinguir direito a cor. Sara tinha sardas por todo o rosto e lábios vermelhos como os da Branca de Neve. Ela era a minha Branca de Neve.

No primeiro dia em que a vi lá no Clube Cachoeirinha, junto com um menino no que eu pensei que fosse uma espécie de brincadeira idiota — vencia quem ficava mais tempo debaixo d'água —, fui logo puxando assunto. Desde pequena eu adorava puxar assunto com desconhecidos.

— Sabia que você parece a Branca de Neve?

— Branca de quê? — disse ela, me encarando com seus olhos enormes.

Foi nesse momento que reparei nas sardas.

— Branca de Neve dos anões, sabe? Aquela do desenho!

Em que mundo as crianças não conhecem as princesas de contos de fadas? Essa garota era no mínimo... *estranha*.

— Não, não conheço. Ei, Gabriel, você conhece a Branca de Neve? — ela perguntou àquele que parecia ser seu irmão, apesar de ter cabelos loiros como os meus e ser completamente diferente dela.

— Claro que conheço, Sara, é aquela dos anões, da banana envenenada...

— Maçã — corrigi, indignada.

— Isso, isso, maçã, sei lá — disse ele, dando de ombros.

— Ah, deixa pra lá — desisti de explicar.

Eles pareciam mesmo entender mais de brincadeiras na piscina do que de contos de fadas.

Quando me virei para ir embora, ouvi a voz da menina me chamando.

— Ei, peraí, loirinha. Onde você pensa que vai? — perguntou, apontando o dedo indicador na minha cara.

Onde eu pensava que ia? Voltar para onde tinha sombra e ler um livro, talvez?

— Uai, eu ia...

— A lugar nenhum. Agora você é minha amiga. Fica aqui pra contar o tempo que eu consigo ficar debaixo d'água? Acho que o Gabriel tá roubando! Se você contar certinho, eu até deixo você virar minha melhor amiga.

E por algum motivo eu não consegui dizer não àquela menininha de olhos claros e cabelos negros. Na verdade, eu nunca consegui dizer *não* a ela.

— Meu nome é Isabela, mas pode me chamar de Bela.

— Meu nome é Sara, mas pode me chamar de Sara.

E nós duas rimos. Gargalhamos. Demos barrigadas de tanto rir. E esse foi o início de uma verdadeira amizade.

● ● ●

Nós éramos complemente opostas. Eu gostava de ler livros, ver filmes e inventar histórias. Ela, de nadar, apostar corrida e ouvir as minhas histórias. Foi a Sara quem me ensinou a nadar. *Crawl*, borboleta, costas e peito. *Anda, sua lesma! Você tem que aprender a nadar! Vai que um dia você precisa fugir de um tubarão?* Dizia. E eu, bem, eu fiz com que ela gostasse de ler. Ok, de ler, não. Fiz com que aprendesse a gostar de me ouvir lendo. E disso ela gostava muito, quero dizer, das minhas histórias. Às vezes Sara tinha até dúvidas e me bombardeava com suas perguntas sem respostas.

— Ei, Bela, para onde é que vão os vilões quando eles morrem, hein?

— Ah, sei lá, Sara. Deve ser para o céu dos vilões — respondi, prevendo que isso não a deixaria satisfeita.

Que tipo de pergunta era essa? Eu lá sabia para onde iam os vilões?

— Céu dos vilões? Os vilões vão para o céu? Mas eles não são maus? — insistiu ela.

— São. Só que eles sempre se arrependem no final, então acho que eles merecem ir para um céu *piorzinho*, sabe?

— Hum... entendi. E as princesas? Pra onde elas vão quando morrem?

— Durr. Princesas não morrem, Sara. Que pergunta boba!

— Onde é que tá escrito isso? Passa esse livro pra cá! — respondeu, arrancando das minhas mãos meu exemplar novinho de *Rumpelstiltskin* e quase fazendo um rasgo na capa.

— SARA! Você quase rasgou o meu livro!

— Bububu. *Você quase rasgou o meu livro, oh, céus, o que vou fazer da vida agora?* — debochou ela, fazendo uma imitação irritante da minha voz. — Calma. Já te devolvo. — E começou a folheá-lo devagar.

Revirei os olhos. Como a Sara podia ser teimosa às vezes...

— Viu? Não tem nada escrito aí que as princesas não morrem. Elas vivem *felizes pra sempre*, só isso — disse ela, triunfante.

— Então! Se vivem felizes para sempre quer dizer que não morrem.

Ahá! Dessa vez eu tinha pegado a Sara.

— Claro que não. Elas podem morrer e ainda assim viverem felizes para sempre. Lá no céu das princesas.

Dei um sorriso. Eu gostava de quando a Sara, sem nem perceber, começava a inventar histórias, assim como eu. Pra quem achava que livros eram revistas sem figuras, ela já estava até que muitíssimo bem.

— É. Você tá certa.

— Eu sei, eu sempre estou.

Nossos domingos eram assim, sentadas na sombra de um antigo pinheiro do Clube Cachoeirinha. Eu lia alguma história, enquanto Sara permanecia deitada de bruços, apoiando a cabeça nas mãos e me encarando com aqueles olhos azul-esverdeados. Eu falava, falava, falava. E ela escutava atentamente para, no final, claro, me encher de perguntas sem pé nem cabeça.

Mas não nesse domingo. Não em 3 de janeiro de 1999. Porque a Sara tinha se esquecido de mim.

Nesse domingo eu tive que comer todo o pacote de Passatempo sozinha (só o recheio) e embrulhar os suspiros para levar de volta pra casa. Nesse domingo eu não ganhei as conchinhas que haviam sido prometidas nem escutei histórias de como ela havia (provavelmente) se machucado na praia. Nesse domingo não teve brincadeiras de quem segurava mais o ar debaixo d'água nem passeios de bicicleta pela ciclovia. Nesse domingo era só eu, nosso pinheiro e um lugar vazio a meu lado.

Me lembro que meu pai ainda tentou ajudar:

— Ei, filha. Ela deve ter se atrasado, sabe como é, viagem nesta época do ano pode ter muito trânsito...

— Não, pai! Ela disse que estaria aqui hoje. Ela *prometeu*.

— Bela, imprevistos acontecem...

— Não! Não! Ela se esqueceu de mim, pai. Esqueceu. Deixa pra lá. Vamos pra casa.

E eu caí no choro. Esse seria o primeiro de muitos outros prantos que chegariam aos meus olhos antes mesmo que meu cérebro pudesse ter algum controle sobre a situação.

Até hoje me lembro da cara de minha mãe quando chegamos em casa. Pálida, com lágrimas nos olhos, como se tivesse envelhecido uns dez anos. Disse que precisava conversar a sós com meu pai e olhou de relance pro meu irmão, como se eles já tivessem combinado algo previamente. O Bernardo me levou para o seu quarto e perguntou se eu não queria mexer no computador dele. Peraí, por que meu irmão de repente estava sendo legal comigo e decidiu parar de fingir que eu não existia? Será que ele ficou sabendo que chorei lá no clube e se sentia na obrigação de me agradar? Devia ser isso, *tinha* que ser isso, mas não era. Eu disse que estava tudo bem e que não queria mexer no computador dele. Porém, alguma coisa no meu estômago, e no olhar que minha mãe lançou ao meu pai, me dizia que tinha algo errado.

— Vai ficar tudo bem — murmurou meu irmão, forçando um sorriso que mal repuxava a pele de seu rosto.

E foi aí que eu soube que nada ficaria bem.

Corri pro meu quarto, me deitei e fiquei encarando o teto pálido, duro e frio. O que estava acontecendo? Por que é que minha mãe estava com aquela expressão no rosto como se tivesse visto uma assombração? Se tem uma coisa que aprendi é que quando estamos muito tristes, muito doentes, ou muito "vazios", dormir é o melhor remédio. Porque dormir nos leva ao mundo dos sonhos. E lá podemos ser felizes de novo.

E aí eu caí no sono.

Sonhei com a Sara. Nós estávamos debaixo do antigo pinheiro lá do clube e comíamos um pacote de Passatempo recheado.

— Ei, por que você só come o recheio? — ela perguntou.

— Porque é a única parte boa do biscoito, uai... — respondi, como se não acreditasse no que estava ouvindo.

— E que graça tem só comer a parte boa?

A Sara sempre com essas perguntas que mais pareciam um teste da escola com pegadinha.

— Porque... é a única parte boa...? — tentei.

Não era essa a resposta que ela queria, claro.

— Bela, que graça teria se a vida fosse só de coisas boas? Todo dia eu como chuchu, alface e tomate no almoço. É ruim, ruim demais mesmo. Mas é que eu gosto de saber que na sobremesa tem chocolate. E isso me faz gostar mais de chocolate.

— Você é estranha. Sério.

A Sara sempre falava umas coisas sem sentido, mas que eu sabia que um dia fariam sentido para mim.

— É, acho que eu sou — ela deu uma gargalhada gostosa e comeu os restos de biscoito que eu tinha separado do recheio.

— Você é chata, mas eu gosto de você — confessei, rindo também.

— Eu também gosto de você... um *pouquinho*.

Abri os olhos e a imagem de Sara foi gradativamente se transformando em um vulto sentado na beira da minha cama. Era o meu pai.

— Oi, princesa. Finalmente acordou — disse, sereno.

— Eu estava sonhando com a Sara. Você já falou com o tio Jorge? Diz que eu tô com raiva porque ela não foi no clube me ver hoje.

— Filha. Senta aqui no meu colo, a gente precisa conversar.

E aí ele despejou um iceberg na minha cabeça.

Era 3 de janeiro de 1999. O dia em que minha melhor amiga morreu.

Assim, assim mesmo. Desse jeito. Sem nem dizer tchau, até logo, ou eu te amo. Ela se foi e eu nunca mais a vi.

Naquela manhã em que eu a esperei em vão no clube, já tinha acontecido... Mal sabia que, quando estendia a nossa toalha de piquenique, ela não estava mais neste mundo. Mal sabia que as últimas palavras que eu trocaria com ela seriam apenas em sonho. Poxa vida, por que as pessoas boas morrem? Por quê?

Sara estava certa. Princesas também morrem. A minha Branca de Neve... Eu não quis saber detalhes do acidente. Um caminhão. Uma fatalidade. O carro deles virou uma lata de sardinha. Os pais de Sara estavam gravemente feridos no hospital. O Gabriel estava em choque, sem pronunciar uma palavra. Sara morrera dormindo. Assim como a Branca de Neve. E eu, morri em vida. Ali, naquele dia.

Três de janeiro de 1999.

Por que o trem de algumas pessoas chega antes do horário marcado para o embarque? Por que não podemos segurar as mãos de quem amamos e impedir que se vão? Por que não temos a chance de dizer adeus? Por que somos acometidos de tristezas que não se curam nem com o tempo?

Eu não tive a chance de dizer adeus a Sara. Na verdade, eu nunca vou poder dizer mais nada a ela. Nem contar mais uma história. Nem responder às suas perguntas sem sentido. Nem dizer que ela é uma chata. Nada, nadinha. A Sara agora estava no céu das princesas, e eu estava destinada a me agarrar às memórias e lembranças dela, em uma tentativa inútil de impedir que ela se fosse pra sempre.

...

Por dois anos me recusei a conhecer novas pessoas. Eu não queria conhecer novas pessoas. Toda vez que começava a sentir um pouquinho que fosse de afeição por alguém, me afastava. Ninguém poderia tomar o lugar que antes era ocupado pela Sara. Esse posto não estava vago. Com isso acabei me tornando uma garota solitária, que vivia com a cabeça enfurnada em livros e se escondia em bibliotecas. Era a "esquisita" da rua, do colégio e de onde mais eu fosse. *Lá vem aquela menina estranha com seus livros debaixo do braço. Dizem que ela perdeu uma irmã. Acho que era a melhor amiga. Já viu que às vezes ela conversa sozinha? Acho que ela acha que vê espíritos. E se a amiga morta dela vier nos assombrar à noite? Credo.*

Não era fácil seguir em frente quando nem eu mesma sabia como seguir em frente. Simplesmente o passado fazia mais parte do meu presente do que o próprio presente. O futuro parecia nunca chegar. Era como se dias, meses, anos se passassem e eu, simplesmente, continuasse vivendo o mesmo dia.

Três de janeiro de 1999.

A minha salvação veio de um livro empoeirado que achei na estante da casa da minha avó, em 2001. A capa não era nada atraente: marrom, dura, comida pelas traças e com o título apagado pelo tempo. Comecei a ler porque já tinha lido todos os meus livros três vezes cada um e estava me cansando das mesmas histórias.

...

O livro começava narrando um conto zen sobre um mestre e seu discípulo. Dizia mais ou menos o seguinte:

> *Os dois estavam a caminho da aldeia vizinha quando chegaram a um rio caudaloso e viram, na margem, uma bela moça tentando atravessá-lo. O mestre zen ofereceu-lhe ajuda e, erguendo-a nos braços, levou-a até a outra margem. E depois cada qual seguiu seu caminho. Mas o discípulo ficou bastante perturbado, pois o mestre sempre lhe ensinara que um monge nunca deve se aproximar de uma mulher, nunca deve tocar uma mulher. O discípulo pensou e repensou o assunto; por fim, ao voltarem para o templo, não conseguiu mais se conter e disse ao mestre:*
> *— Mestre, o senhor me ensina dia após dia a nunca tocar uma mulher e, apesar disso, o senhor pegou aquela bela moça nos braços e atravessou o rio com ela.*
> *— Tolo — respondeu o mestre. — Eu deixei a moça na outra margem do rio. Você ainda a está carregando.*

E aí entendi a lição. Eu estava carregando a Sara por todos os lugares que ia. Ela era pesada e estava se despedaçando a cada passo que eu dava. Eu precisava deixar que ela se fosse.

O desapego não é indiferença, covardia ou desinteresse. O desapego é se libertar de tudo aquilo que faz mal e causa sofrimento. Desapegar é sinônimo de se libertar. Soltar as algemas. Colocar asas. Se permitir voar novamente. O desapego é a aceitação, é o desprendimento.

As pessoas são, por natureza, apegadas. Nós nos apegamos a objetos, memórias e pessoas. Nos apegamos a coisas que sabemos que terão fim... Veja só, me apego até a filmes, que sei que duram apenas duas horas. E o que faço quando eles acabam? Assisto de novo. E de novo. E de novo. Assisto tanto que decoro todas as falas. Até repetir tantas e tantas vezes as mesmas coisas, que elas começam a não fazer sentido algum. E é isso que fazemos todos os dias. Nos torturamos com memórias que já foram, repetimos cenas, apertamos o *replay* e não pensamos na consequência que isso pode nos trazer.

O passado que tanto parecia fazer sentido passa a não fazer sentido algum. As memórias se distorcem, aos poucos desaparecem e você já não sabe mais o que é real e o que é fruto da sua imaginação desvairada. E sabe o que é pior? A vida não para. Enquanto você segura o passado até que suas mãos sangrem e não suportem mais o peso da corda, o presente continua e você nem percebe que poderia estar construindo novas lembranças, ao invés de se agarrar às antigas.

Não adianta tentar manter algo em sua vida que já não faz parte dela. E, eu sei, é difícil aceitar o fato de que não podemos controlar o destino nem todo mundo ao nosso redor. Deveria ser proibido que pessoas queridas fossem para o céu tão cedo, ou que aquele nosso namorado tão legal nos deixasse para ficar com a vizinha. Devia, sim. Mas não é. E sabe por que não é?

Porque nós precisamos aprender, precisamos nos machucar. O coração precisa se partir para aprender a se reconstruir. Se não existissem quedas, não existiriam triunfos. Você vai cair, se ralar, sangrar, chorar e até mesmo pensar em desistir. Vai se prender a lembranças e segurar o passado junto do coração. Depois vai perceber que todo o seu esforço é inútil e que precisa seguir em frente. Vai procurar forças em livros de autoajuda e até mesmo nos conselhos de sua manicure. Vai se olhar no espelho e se sentir a pior pessoa do mundo. Por que tem de ser assim? Para você aprender a se reerguer.

Aquele que consegue colocar o desapego em prática atinge um estado de paz interior e tem a consciência limpa de que deixou o passado onde ele deveria estar: no passado. E que o presente é sempre um presente. E que o futuro vai vir recheado de novidades e sensações novas.

Não se apegar não é ser indiferente à vida. É ter o conhecimento de que o sofrimento chega, mas um dia deve partir. Não podemos dar abrigo ao sofrimento nem permitir que ele faça de nosso coração sua casa permanente. Não é certo. Superar é preciso. Levantar-se mais forte é essencial.

A vida é uma eterna roda gigante. Ora estamos em cima, ora estamos embaixo. Tudo na vida é mutável, tudo mesmo, inclusive nós. Por isso precisamos aprender a "deixar ir". Nada é para sempre, por mais que queiramos que seja. Veja bem, nem as princesas são para sempre.

Por isso precisamos viver todos os dias como se fossem os últimos. Com intensidade, sinceridade e amor no coração. Precisamos desfrutar cada sorriso, cada olhar, cada instante, porque nunca se sabe quando precisaremos deixá-los ir, para que novas coisas possam vir.

Eu entendi que o passado não existia mais e que ele só existia dentro de mim com uma única finalidade: me destruir aos pouquinhos. Quanto mais eu insistisse em segurá-lo, uma parte de mim morreria. E eu deixei que ele se fosse. E que o presente chegasse. Respirei fundo, não foi fácil. Contudo, eu precisava soltar as mãos daquilo que estava me retendo.

O desapego é saber a hora de se despedir de coisas que não têm mais espaço na sua vida. Pode ser aquele sofá velho que habita sua sala de estar há anos, mas do qual você não se desfaz porque lembra a sua avó. Pode ser aquelas roupas que você nunca usou, mas guardou porque é egoísta demais para doá-las. Pode ser aquela panela sem alça que você ganhou de presente no seu primeiro casamento, mas não teve coragem de jogar no lixo. Pode ser aquele vidrinho de perfume que você guarda no fundo do guarda-roupa só porque lembra o cheiro. Pode ser aqueles vidros de esmalte vazios que você coleciona. Pode ser memórias de pessoas que já se foram, mas que ainda prendem você ao passado. O desapego pode ser aprender a se despedir na marra, já que muitas vezes não temos escolha. O desapego é saber a hora de ir e deixar partir, e isso é essencial na vida de qualquer ser humano.

Quem dera todos soubessem a hora de levantar bandeira branca, reconhecer que acabou e transformar a reticência em ponto final.

E eu me libertei da Sara. Deixei que ela partisse para o céu das princesas e assim fosse feliz para sempre. Eu ainda precisava continuar a minha história. Eu a carregaria em meu coração como uma lembrança boa e não como um sofrimento.

Essa seria a primeira das muitas vezes em que o desapego seria necessário na minha vida.

Hoje faço um ano de solteira. É isso mesmo que você leu aí, um a-n-o. Consegui, podem passar o troféu pra cá. E, tá, confesso que até estou começando a gostar da ideia de ser sozinha numa boa. Gostando *bastante*. É reconfortante acordar pela manhã e não ter que dar satisfação a ninguém. Nem sentir a necessidade de checar o celular à procura de novas mensagens, como eu insistia em fazer (e caso elas não estivessem lá, pensar: "O que foi que eu fiz de errado?"). Nem me preocupar em dizer e fazer as coisas certas o tempo todo. Cansa. Cansa mesmo. Todo esse lance de ter de ser sempre perfeita em tudo... estou longe de ser. Coisa que nós já sabemos.

Pode perguntar por aí. Eu sou a pior amiga do ano, tenho certeza. Enchi tanto a cabeça do Pedro com meus problemas e minhas paranoias que o coitado do garoto nem quis me contar sobre a tal Savanna. Eu sou a pior ex-namorada do ano também. Toda vez que encontro o Gustavo em algum lugar, me embanano toda, não sei se o cumprimento com um sorrisinho, se aceno de longe ou se lanço um daqueles olhares que dizem "morra". O prêmio de pior solteira do ano também vai para mim. Que tipo de solteira chora loucamente no meio da madrugada, não curte pegar caras aleatórios na pista de dança nem matar a carência com um primo? Eu sou mesmo péssima em tudo que faço. E, ah, que se dane!

Não é tão ruim ser toda errada assim. É divertido. Eu erro tentando acertar, erro tentando errar e acerto quando não me importo se vou errar. Acho que esse é o real segredo: não se importar muito com as coisas da vida. Não adianta se preocupar, planejar, traçar metas, planos, fazer listas de realizações e tudo o mais. As coisas acontecem quando devem acontecer e, meu amigo, você precisa ser paciente nesse meio-tempo. Só que, ok, eu sou ansiosa. Ansiosa demais.

Às vezes penso que, por mim, eu já tinha tudo planejado desde o meu primeiro dia de vida. Quem seriam os meus amigos de verdade, qual seria a minha profissão, onde iria morar, quantos quartos minha casa teria, qual seria a música do meu casamento, e claro, quem seria o meu "príncipe encantado". Ah, tem também o nome dos filhos e as viagens que faríamos nas férias. Imagine só, que sonho... *Que sonho?* Saber tudo o que vai acontecer? *Não!* O legal da vida é não saber exatamente nada. Eu não sei nem quem eu vou ser no mês que vem. Que dirá com quem eu vou querer passar o resto dos meus dias...

Já me apaixonei e quis que fosse "pra sempre" tantas vezes, que eu duvido mesmo que isso exista. Aliás, até existe. Por um tempo.

Pra sempre é tudo aquilo que você vive por um período, pode ser por apenas alguns segundos, mas que se eterniza na sua mente. Você pode ser "pra sempre" com alguém — mesmo que de modo passageiro.

As únicas coisas que não passam, adivinhe só, são você e o seu reflexo no espelho. É o amor-próprio que você traz no peito como um general carrega, cheio de orgulho, as suas insígnias. É tudo aquilo que você realizou e aprendeu com suas cicatrizes.

É fantástico poder relembrar o passado com um sorriso no rosto e dizer: *Ei, eu era mesmo uma tola!* Se você hoje enxerga isso quer dizer que de tola não tem mais nada.

Hoje posso afirmar que estou curada da síndrome do "preciso-de-amor-pra-viver". Posso até precisar de amor pra viver (mas, olha, tenho minha mãe e meu pai pra isso! E o Fred, meu felino!), só que não posso fazer da minha vida uma busca incansável. Porque vai que eu não seja a princesa do conto de fadas e acabe tendo o mesmo destino da vilã?

Isso é possível, bem possível, aliás. Agora que parei pra pensar, meu Deus! Devo ser mesmo a vilã do meu próprio conto de fadas. Só isso para explicar o Igor Tullon ter passado de príncipe a sapo fedorento e nojento. Eu me joguei e me exibi pra um cara que eu pensava conhecer bem só porque era da minha "família". Isso é quase autossabotagem. Com as princesas era o contrário, não era? Elas ficavam na delas, no alto da torre, e o príncipe era quem tomava a iniciativa de salvá-las. Fosse quem fosse... Hum... Estranho. E eu também não acordo bonita como as princesas. Quero dizer, eu tenho espinhas de vez em quando e o meu cabelo se embola só de bater um vento. Esse lance de princesa não é pra mim mesmo, não. Deixo isso pra Disney. Sou apenas uma mulher de carne, osso e imperfeição. É isso. E se alguém quiser gostar de mim, que goste assim. Desse jeito que sou, sem tirar nem pôr (talvez eliminando a mania de falar enquanto durmo, isso realmente é meio chato).

Se alguém conseguir aceitar o fato de que eu sou irônica 100% do tempo, ando na pontinha dos pés, abraço animais de rua mesmo que estejam sujos (e daí? Eles são lindos!), falo demais quando fico nervosa (e quando não fico nervosa também), escrevo tudo aquilo que tenho medo de dizer em voz alta em cartas que nunca envio (é sério, tenho uma caixa delas), tenho medo de palhaços, tenho pesadelos à noite e por isso tremo enquanto durmo, sou extremamente autoritária e estou sempre certa (alguém tem dúvidas de que eu estou sempre certa? É meio óbvio), odeio flores (só gosto daquelas flores rosa que dão em árvores japonesas, acho que se chamam *sakura*) e fujo incansavelmente do amor ao mesmo tempo que procuro por ele, bem, se eu achar esse alguém, provavelmente a primeira coisa que vou dizer é: "Parabéns. Você é louco". Depois vou dar um beijo na boca dele. É claro, mais uma vez, aqui estou eu imaginando coisas que nunca aconteceram nem vão acontecer.

A partir de hoje não tem mais esse negócio de "estou esperando a pessoa certa". Pff. Como se "a pessoa certa" existisse. Aliás, até existe. Mas aprendi uma coisa muito legal. Aprendi que todas as pessoas são certas. Isso mesmo. Todas as pessoas que passam na nossa vida são, de alguma forma, certas e necessárias. Ali, naquele momento. Você precisa passar por elas para aprender alguma coisa.

Nem que seja aprender a não tentar consertar as pessoas (Gustavo), a não ir a baladas sertanejas (Evandro), a não confiar em qualquer garota com um sorriso bonito e um cabelo brilhante (oi, Marina), nem a frequentar becos, mesmo que seja gostosinho (priminho querido), e que quando um garoto some, ele realmente não te quer mais (Tiago).

A propósito, o Pedro chega hoje do intercâmbio na Austrália e eu estou muito ansiosa. Porque vai ter uma festa de recepção no apartamento dele e deve estar todo mundo lá. Tipo, *todo mundo. Tipo Tiago.* Que era tipo *o vizinho* do Pedro. Que tipo *tinha me dado um fora.*

Pensei em ligar pro Pedro e implorar que ele se "esquecesse" de chamar o Tiago, só que achei que ele ia me achar uma idiota. E, vá lá, não estou com muito crédito, mas eu não quero que ninguém mais saiba quão idiota sou. Se teve outra lição que aprendi recentemente foi a de me preservar ao máximo, ainda mais em momentos de fragilidade.

Por que eu nunca sei lidar com uma pessoa depois de terminar com ela? Ou, no caso, depois de a pessoa se-afastar-sem--qualquer-motivo-e-não-colocar-um-ponto-final? Cumprimento o Tiago com dois beijinhos ou três "pra casar"? Aceno de longe? Sorrio? EU SORRIO? *Tá rindo do quê, palhaça?* Ah! Que se dane!

Pelo visto, e me conhecendo bem, vou improvisar, o que significa fazer tudo da forma mais errada e estabanada possível. Porém, não estou me importando muito com isso. Não mais.

Checo meu visual no espelho duas vezes. Até que estou bonitinha, sabe. Se eu fosse o homem que tivesse me dispensado (Tiago, alôôôôô?), me arrependeria na hora. Aquele *shake* de morango que estou tomando para perder uns quilinhos finalmente está fazendo efeito. Consigo me enfiar em um vestidinho preto que comprei há séculos em uma liquidação e ainda não tinha usado porque não me servia (era um tamanho menor, mas e daí? Estava na promoção, né?!). Ele é coladinho no corpo, com um decote enorme nas costas. Prendo os cabelos num rabo de cavalo meio soltinho e coloco minhas sapatilhas preferidas (não basta deixar de chorar por homens, eu não preciso chorar também pelos meus pés machucados por saltos altos). Passo o clássico batom vermelho, que, em contraste com a minha pele cor de parede desbotada e meu cabelo loiro-quase-branco, fica até legalzinho.

E vou. Em direção a meu calvário sentimental.

Chego em frente à portaria do prédio do Pedro e, por uns segundos, não consigo me movimentar. Fico estática, como a estátua que ornamenta o corredor do condomínio. Ainda dá tempo de desistir, quero dizer, não que eu seja uma covarde ou coisa do tipo. Eu sou *suuupercorajosa*. Corajosa mesmo. Assistia a filmes de terror à noite. Andava por cemitérios sem me arrepiar. Caminhava com destemor em ruas desertas sem me importar com assaltos. Tá, quem eu queria enganar? Eu, medrosa pra caramba... E eu quero fugir dessa festinha infestada de lembranças do passado.

Poxa, eu não estou a fim. É só dizer pro Pedro que estou com intoxicação alimentar de uma salsicha estragada que comi no almoço. Eu nem como salsicha. Ah, já sei! Posso dizer que minha pedra no rim resolveu se manifestar novamente. Isso. É o que vou dizer. Ele sabe que tenho problema renal, não vai duvidar de uma coisa tão séria como essa...

Resolvo que vou em frente. Cruzo a portaria, cumprimento o Seu Jairo, porteiro, e aguardo ansiosa em frente ao elevador. 3, 2... Não. Eu não vou conseguir. Decido dar meia-volta e retornar para a segurança da minha casa. Isso, eu vou embora dali sem ninguém me ver e... dou de cara com o Tiago cruzando a porta de entrada do prédio. Vestido com uma camisa xadrez, calças jeans surradas, sapatênis brancos e seus incríveis olhos verdes. E, ah, com o cabelo raspado. Tremo. Será que ainda dá tempo de me esconder atrás da porta da saída de emergência?

— Isabela! Oi! Como você está? Poxa, como você está linda, hein? — diz ele, levantando as sobrancelhas assim que me vê.

Obrigada, Deus. Obrigada, mil vezes obrigada. O Tiago está fingindo que nada aconteceu, e assim vai ser. Amém.

— Hã, oi. Tô ótima. — *É claro, sem você, seu babaca.* — E você? Gostei da camisa. Xadrez. Ficou legal.

Ficou legal. Ficou legal. Poxa, como você sabe elogiar as pessoas, Isabela! Agora, sim, o garoto saberia que você ainda nutria um ódio por ele no coração. Tá, ódio, não. Um odiozinho.

— Valeu. É impressão minha ou você tava indo embora? — pergunta o Tiago, me dando o braço pra seguirmos em direção ao elevador.

Que gentil! Enlaço o braço no dele, que mal tem? Amigos também enrolam o braço no braço do outro.

— Não, é que, hum, eu ouvi um barulho aqui na escada de emergência. Isso. Um barulho. Aí eu vim, é... checar. Entende? Ver se era alguém precisando de ajuda. Sei lá, né? Nos dias de hoje...

O que eu estava falando? Nos dias de hoje o quê? Péssima. Você é péssima, Isabela.

— Você é doida, Isa.

Isso também.

Entramos juntos na festa e logo me surpreendi com a quantidade de gente! A mãe do Pedro realmente se empenhara. Digo a mãe dele porque sei que essa ideia só pode ter partido dela, a Tia Suzie. Ela vive tentando fazer com que o Pedro seja socialmente mais aberto. Quero dizer, por ele eu tenho certeza de que não teria festa alguma. Por mais que o Pedro seja um dos caras mais populares da cidade (sobretudo entre as mulheres), ele não faz muita questão disso. É como se toda aquela gente falando dele ou querendo tirar foto com ele não tivesse a menor importância.

Mas a Tia Suzie convidara umas quarenta pessoas, sem brincadeira. O apartamento de dois andares estava entulhado de gente. Havia convidados por todos os lados (eu não conhecia a metade e tinha medo de ver a outra metade). E ainda não tinha reconhecido sequer um rosto amigo.

— Ora, ora, quem chegou, e chegou muito bem-acompanhada.

Espio pelos ombros e vejo a Amanda, vindo em minha direção com dois copos na mão. Ela me oferece um.

— Não, valeu. Não quero beber. E você sabe cometer uma gafe...

— Olha, eu, se fosse você, bebia, viu? Porque tá todo mundo aqui.

— Todo mundo, todo mundo quem, Amanda???

— Ah, Gustavo, Tiago, que a senhorita já viu, e viu muito bem, seu primo...

— MEU PRIMO? — Percebo que minha voz sai um pouco alta demais e cochicho: — Meu primo??? Tá louca, Amanda? Ele nem conhece o Pedro.

— Pois é! Mas ele tá aí. Não entendi também...

— Ai, me ajuda. Eu tô bonita, Amanda? Olha pra mim, eu tô bonita?

— Relaxa, tá linda! Despista que seu primo está vindo. Bebe isso, rápido.

Olho para o copo na mão dela e decido beber aquele negócio vermelho, sem nem saber o que é. Meu primo está vindo falar comigo. Meu primo, aquele que eu vi sem calça, sem cueca e sem pudor. Ai!

— Prima? — Ouço uma voz chamar atrás de mim.

Ah, não. Não. Não. Não. Giro nos calcanhares e me viro pra ele. Acho que meu rosto não está dos melhores, porque nesse momento um Igor Tullon imaculado pela beleza divina me abraça pelos ombros, me olha sério e pergunta:

— Tá tudo bem? Você tá com uma cara estranha...

— É que eu virei uma bebida estranha assim que cheguei na festa. He-he... Poxa, que surpresa. Não sabia que você conhecia o Pedro!

— Pois é... Na verdade... eu não conheço. Um amigo meu disse que estava vindo e me disse que você talvez estivesse aqui... Então eu quis vir...

Que tipo de pessoa faz isso? Ele era um psicopata *stalker*? Era isso? Enquanto ele falava coisas que eu não ouvia, eu não conseguia parar de olhar pros lados à procura do Pedro. Onde estava esse idiota? Quanto tempo sem vê-lo. Quase o ano todo! E agora que ele podia me ajudar, aqui nesse momento crítico, ele estava ONDE? De conversinha com alguma garota, eu podia apostar.

— Tá a fim de ir ali na varanda? A gente pode conversar... Só conversar... — diz meu primo cara de pau com um sorriso que conquistaria qualquer uma.

Não, não, não. Para com isso, Igor. Não adianta tentar me seduzir de novo, eu não entro no seu "Camaro amarelo" nunca mais! Nunquinha. Eu juro.

— Eu, eu... eu preciso achar o Pedro. Ainda não me encontrei com ele. Depois a gente, é, hum, conversa, tá?

— Ah, prima, qual é?... Vem cá.

E me puxa pelas costas pra perto dele. Sinto o seu corpo malhado rente ao meu. Os seus músculos saltando pela camisa branca. O cheiro do 212 Vip à flor da pele vem com tudo. Eu já sentia meus hormônios agindo e amolecendo meu corpo...

— ISA!!!!!

Me viro, espantada. É o Pedro! Minha Nossa Senhora dos Necessitados! Obrigada por mais esta bênção divina. Eu não sabia se era tão merecedora assim.

— Pedro Miller, seu babaca! Bem-vindo de volta!

E deixo que ele me envolva em um abraço que estava fazendo falta. Ô, se tava. O Pedro parecia ter crescido ainda mais nesse tempo que eu fiquei sem vê-lo, ou seria eu que estava diminuindo? Mais?! O casaco de couro, como de costume, por cima de uma blusa branca em gola "v" que deixava um pouco dos pelos do peito à mostra. As calças jeans rasgadas, o sapatênis preto. Ele não mudara nada, nadinha. Estava exatamente igual a quando o conheci. Talvez um pouco mais bronzeado, e os olhos mais azuis. Mas ainda assim é o meu melhor amigo.

— Você é... A gente se conhece? — Pedro se dirige ao Igor, dando aquela alfinetada.

— Não, na real... Eu sou amigo do... — Igor responde, um pouco gago.

— É, né? Olha, vou roubar ela um pouquinho de você, viu, campeão? E já aviso que não devolvo — manda ele, dando o sorriso mais debochado possível, enquanto me puxa para a varanda do apartamento.

— Nossa, valeu! Aquele lá era o meu primo. Sabe, aquele que eu... Hum. Você sabe.

— Sei. — E dá uma gargalhada. — Aquele do beco...

— É, esse mesmo. Acredita que ele estava querendo me levar pro beco de novo? Quero dizer, não pro beco, *o beco*... Mas pra *um beco*. *Outro beco*.

E ele sorri novamente sem me responder nada. Ainda me encara com aqueles olhos como se estivesse me vendo pela primeira vez.

— Que foi? Parece que nunca me viu, eu, hein! — digo, revirando os olhos.

Eu odeio quando as pessoas ficam me encarando. Sei lá, me fazem sentir muito vulnerável.

— É que eu tô com muita saudade.

— Muita? Sei. Pedro? Sentimentos? Saudade? Oi? Isso é uma pegadinha?

— Eu tenho sentimentos. Mas é que gosto de guardar para poucas pessoas.

— Ahá, então você tem um carinhozinho por mim. Eu sabia, Pedro. Esse seu jeito de durão não me engana nem um pouco, viu?

— Você está de rabo de cavalo — muda de assunto.

Eu nunca usava rabo de cavalo. Verdade.

— É, tô... ficou feio?

— Ficou meio feio, sim. Não vou mentir.

— Bom que esses despachos de macumba que sua mãe convidou não pensam duas vezes antes de desviar de mim.

— Tô brincando, branquela. Tá muito bonitinha.

— Odeio quando você me chama de bonitinha.

— Por quê?

— Porque eu não quero ser bonitinha. Quero ser tipo, LINDA. MARAVILHOSA. Entendeu? — explico, em meio a uma gargalhada.

— Desculpa te decepcionar assim, mas você só é bonitinha mesmo. Foi mal.

— Chato.

— Chata. Vai me explicar qual é a desse rabo, ou vai me dizer que em um ano você abandonou os cabelos soltos de vez?

— Eu tô tentando dar uma mudada, sabe? Toda mulher quando quer mudar de vida muda de cabelo. É tipo uma lei. Só que como eu sou covarde demais pra mudar de cabelo, faço um rabo. Porque o rabo é como se eu estivesse mudando, e eu quero mudar. Quero mesmo.

— Você já mudou. Nem precisa de rabo de cavalo. Dá pra notar só de olhar pra você.

— Ah, é? Você está não faz nem cinco minutos comigo, como percebeu isso? Não precisa tentar me agradar, é sério. Por favor.

É verdade. Ele não precisava tentar me fazer sentir melhor, por mais que amigos sirvam para isso.

— Não, é sério. Eu estava te observando enquanto você conversava com o seu primo. Você está mais confiante, mais segura de si. Com certeza não é mais a menininha que eu deixei aqui no Brasil. Eu tô muito orgulhoso.

— Obrigada, obrigada. Não vou dizer que foi fácil, porque, olha, não foi. Eu chorei, tipo, muito. Muito mesmo. Ah, você já sabe. Aliás, você não sabe da missa a metade. Acredita que o Tiago hoje fingiu que nada aconteceu? Simplesmente me tratou como se nunca tivéssemos tido nada. Canalha da pior espécie. Me deu o braço e eu dei o meu de volta, né? Por que... o que eu ia fazer? Dizer que não queria dar o braço e parecer afetada? Poxa, eu não *estava afetada*. Tá, talvez um pouco. Porque aqueles olhos dele realmente me deixam nervosa. Porém, fui firme, acho.

— Há-há-há! Como eu senti saudade disso. Você não bate bem, Isa — resume ele e me olha com um olhar quase curioso. — Ele não explicou nada do "término" de vocês, não? Ficou no ar?

— Ficou, né? Ele nem se deu o trabalho. Só se afastou, afastou super. Me mandou uma mensagem apenas. Como que era mesmo?, acho que dizia "Não podemos ficar juntos. Desculpa". Preferia o velho e bom "O problema não é você, sou eu". Sinceramente.

— Ele foi fofo, vai? Dá um crédito pro cara.

— Fofo?! Fofo? Onde você viu fofo? Não vi fofo em lugar algum. Nem uma carinha feliz. Nem um "bj" no final. Nada. Seco, mais seco que tudo.

— Eu nem mando mensagens pra terminar com ninguém, não, branquela.

— Ah, mas você não conta.

— Ué? Por que eu não conto? — pergunta, interessado.

— Porque você é assim, todo mundo sabe. Impossível entrar nessa redoma que te cerca, e as garotas que conseguem esse feito, nem que seja por alguns dias, se orgulham disso. Se quer mesmo a minha opinião, um bando de bobinhas... Eeeeee, por falar em bobinhas, e a Savanna?

Ele me encara sério. Acho que ainda não é permitido fazer piadinhas sobre a Savanna.

— Tô brincando, Pedro. E a Savanna? Aquela linda sarada que você estava namorando?

Ok. É hora de saber do assunto proibido. Estou preparada.

— Já estou louco de saudades. Passei um ano grudado naquela menina... Agora vai ser difícil esquecer. Diria impossível.

— Wow! Isso que é paixão avassaladora.

— Acho que tá mais pra amor mesmo — confessa, enquanto observa o céu estrelado acima de nós.

Eu amo estrelas. Amo, amo. Amo muito. Queria que minha vida fosse um conto de fadas estrelado! Brincadeirinha. Podia ser só estrelada mesmo...

— Me conta logo! Para de *suspensinho!* Como que foi o primeiro beijo, o primeiro encontro, o segundo encontro, se quiser contar o terceiro também... Conta! Anda! Tô ansiosa!!!

— Não teve encontro. — E Pedro desvia o olhar. — Por que você acha que teve um encontro?

— Porque não é isso que casais fazem? Se encontram, se beijam, se amam? Ai, Pedro. Faça-me o favor, né? Até parece que você não sabe.

— Isabela.

— Pedro, tudo bem. Tudo bem. Eu sei que você é fechado quando se trata de falar de intimidades, que você odeia falar sobre as inúmeras garotas nas quais dá o fora todos os dias e tudo o mais. Eu sei, sei mesmo. E eu nunca te pedi que fosse boca aberta como eu, quero dizer, eu te conto as coisas porque gosto de contar, gosto muito. E não consigo parar de falar quando tenho uma novidade, tem isso também. Mas poxa, POXA VIDA! Eu amo histórias de amor, e você estava na Austrália. Na Austrália! E conheceu uma garota chamada Savanna, nossa, esse sempre foi o nome das minhas Barbies surfistas, sério, eu sempre quis ser uma Savanna, não sei por quê... Vai me negar saber uma história de amor? Você vai me negar isso mesmo? Sério?

— Isabela. Para — ele diz, colocando o dedo indicador na minha boca. — Respira fundo.

Respiro. Estou p. da vida. Eu nunca quis saber nada da vida amorosa dele e quando quero saber ele fica fazendo *miserinha*? Ah, para.

— Branquela... Savanna é o nome da garotinha que eu tomava conta lá na Austrália. Eu trabalhava de "bábá" dela. Tomava conta enquanto os pais dela não podiam estar por perto, o que era quase o dia todo. Tadinha. Se apegou muito a mim e eu a ela. Ela tem apenas seis anos, um amor. Acho que você iria amá-la. Sério.

Eu estava embasbacada. Esse tempo todo, ESSE TEMPO TODO, eu querendo saber da tal Savanna e ela era apenas uma garotinha? Uma garotinha de seis anos? E por que o Pedro escondeu isso de mim? Por que não disse simplesmente: *Ei, eu não estou vivendo um romance enquanto você está aí se ferrando. Eu tô cuidando de uma garotinha de seis anos de idade chamada Savanna. Não precisa odiá-la.* Por Deus! Eu estava odiando a tal da menininha e ela devia ser linda, loirinha, de olhos azuis. Desculpa, Savanna. Desculpa. Desculpa.

Além de tudo estou me sentindo uma idiota. Uma idiota completa. Que tipo de amigo o Pedro é? Fala sério. Eu abro meu coração pra ele e ele nem me conta o que estava fazendo lá na Austrália. Babá. Pff. Desde quando ele tem jeito com crianças? Ei, ele tem jeito com crianças?

— Isa? — sussurra ele, enquanto tenta colocar a mão nos meus ombros.

— Sai pra lá. Vou atrás da Amanda. Não quero papo — ameaço sair da varanda e ele me puxa pelo braço.

Ele estava malhando lá na Austrália? Porque doeu.

— Ah, Isabela... Para, né? Vai ficar com raivinha por isso? Achei que você odiasse a Savanna versão minha namorada.

— E eu odiava mesmo. Só que agora eu odeio você, só isso. Te odeio por não me contar o que estava fazendo na Austrália, a Amanda sabia disso? Ou você enganou nós duas? Onde você queria chegar com isso? Você queria me fazer sentir miserável? Me fazer sentir a única no mundo que não consegue achar alguém legal? Parabéns. Você conseguiu. Só que eu não me importo de ficar sozinha, não mais. Mas na época eu estava superchateada, chateada mesmo, e você nem pra aliviar o peso que estava sobre os meus ombros... Como você pôde... Como...

E eu ameaço cair no choro. Não, não. Se segura, Isabela.

— Isa, Isa! Não! Não chora. Por favor, desculpa. Eu achei engraçado, só isso, e que você fosse rir. Para, para... — se desculpa e me abraça forte, muito forte.

— Tô cansada de ser enganada por todo mundo. Poxa, Pedro. Logo você. Você. Eu aqui achando que a Savanna era uma surfista bronzeada, loira, alta, gostosa, dos olhos claros e pele perfeita. Eu aqui com raiva dela deitada na sua cama, eu com raiva dela se fazendo de desentendida no telefone. Argh, que vergonha!

— Ela bem que podia ser essa aí que você disse mesmo. Mas não. Era uma garotinha muito levada que gostava de andar nas minhas costas pra parecer mais alta.

— Te odeio — choramingo e dou um soquinho no braço dele. — Te odeio, odeio. Mas eu não consigo te odiar. Aí, te odeio mais.

— Eu sei bem o que é isso. É que sou irresistível demais para ser odiado — responde e sorri.

E pela primeira vez consigo superar a vontade de chorar.

— É, deve ser. Idiota. — Sorrio de volta. — Agora eu quero saber tudo que rolou por lá enquanto eu estava aqui vivendo o *Filme da Isabela* nada romântico.

Ele finge que não me escuta. Está olhando as estrelas de novo.

— A gente é tão pequeno, né?
— Hã?

Do que ele estava falando? Da minha altura? Porque olha, se for, eu juro que não saio mais de sapatilha por aí.

— Me diz, por que você se encanta tanto por estrelas mesmo?
— Ah, porque estrelas me lembram mágica. Me fazem pensar que existem sempre outras histórias, outras vidas, outros amores, outras coisas. Estrelas são como milhares de olhos brilhando de volta para você, no céu. E isso me inunda com um sentimento que não sei explicar muito bem. Acho que é isso. Por que a pergunta?

— Porque lá da Austrália eu me pegava observando as estrelas quase toda noite. E elas me faziam sentir menos...

— Vazio — completo.

— É! Isso, vazio. Como sabia que eu ia dizer isso?

— É que toda vez que eu me sinto vazia demais olho para o céu e imagino que outra pessoa está sentindo a mesma coisa, de algum lugar do universo. E aí tenho certeza de que dois vazios às vezes transbordam.

— Eu não teria tanta certeza assim.

— Hã? Por quê?

— Acho que nem as estrelas me transbordam.

— Você diz isso porque não sabe o que é amor.

— Eu sei o que é amor. Eu só não sei amar — responde ele, em meio a um sorriso de canto de boca.

— Dá no mesmo. Relaxa, eu também não sei amar. E olha que eu amo amar, quero dizer, eu queria amar, porém, como nunca amei, então não sei se sei mesmo amar. Ah, você entendeu.

Ele sorri de novo. Dessa vez de verdade, com sinceridade.

— O amor é uma fila de espera infinita em uma sala de estar fria e escura.

— Oi? — *O que ele está dizendo?*

— Quero dizer que você está na fila de espera, mas que sua vez vai chegar. Alguém vai chegar para te salvar dessa espera.

— Não vejo a hora, é sério. Mas, Pedro, e a sua vez? Não quer que chegue?

Por que ele sempre se esquivava de tudo que se relacionava a sentimentos?

— Não. Esse lance de amor não é pra mim. Me viro melhor sozinho. Isso não mudou muito — afirma, convicto, e dá de ombros. — Vou voltar pra festa, você vai ficar bem sem mim?

— Eu sei me virar *sozinha*. *Agora eu sei* — declaro e dou uma piscadinha, que ele retribui antes de se virar de costas.

Aí ele se vira novamente, como alguém que pensa três vezes antes de falar, e grita:

— Se precisar, já sabe... Estou sempre aqui para te salvar.

E sai, me deixando com meus pensamentos.

É estranho pra mim conhecer alguém que não se importa com o amor. Sei lá, o que leva uma pessoa a desacreditar do amor? Muitas decepções? Inúmeros relacionamentos fracassados? Feridas que não cicatrizam? Mágoas passadas?

Eu tenho isso tudo e mais um pouco. Porém, ainda acredito no amor. Acredito porque acreditar no amor é gostosinho. Acredito porque acreditar no amor é o mais perto que posso chegar dele. Acredito porque acreditar no amor é a única coisa que o mantém real na minha mente.

Mesmo que demore anos, mesmo que se atrase, pegue o caminho errado, vire em uma rua sem saída, se perca e talvez nunca chegue, eu ainda vou admirá-lo.

Acho que o amor existe, sim, e é muito bonito. É lindo mesmo. Para quem sabe ver, para quem sabe sentir. Alguns se machucam pelo exagero, outros pela falta. Uns erram porque não conseguem sentir, outros porque sentem demais. O ideal é não se preocupar e não sonhar demais. O amor vem para os distraídos. Chega sem avisar. Não gosta que o esperem. E eu não espero. Não mais.

    A partir de agora, vou viver um dia após o outro. Vou viver como se todos os dias fossem o meu último dia. Vou desapegar de tudo o que me faz mal e me retém ao sofrimento. Vou desapegar das ideias idiotas e infantis. Vou viver a minha vida do jeito que quero. Que mal tem?

    Estou muito feliz assim. Amor-próprio, coração tranquilo e alma leve. Sem medo de me decepcionar. Porque as decepções vão vir de qualquer jeito, então que eu as aguarde com um sorriso no rosto. Podem vir. Eu vou superar. Eu sempre supero.

    Olho para o céu e sorrio. Eu sei que em algum lugar deste universo todo alguém sorri de volta pra mim.

    Final feliz é não ter fim. E é claro que, diferente de qualquer clichê, minha história não termina por aqui.

Perfeito é quando alguém
te entende só de olhar...

Isabela Freitas / @IsabelaaFreitas

ÚLTIMO CAPÍTULO?

O meu ponto fraco é o ponto final

É estranho terminar etapas com um sorriso sincero no rosto, quero dizer, ao menos pra mim é, e muito. Toda vez que mudanças bruscas aconteciam eu ficava desesperada, me sentia como se, de repente, eu fosse condenada a ficar vagando pela cidade até achar paz em algum canto. Não é moleza. A felicidade — essa sensação de total plenitude — me é muito estranha, parece que não sou merecedora... Como se sofrer já fizesse parte de mim, sempre. De quem me tornei, de tudo que faço. E olha que eu jurava que felicidade era ter uma alma gêmea ao lado... Até parece. Uma coisa tão importante não pode ficar apenas vinculada ao que acontece do lado de fora. Felicidade é se sentir bem sendo a pessoa que você é, a pessoa que não precisa fingir, a pessoa que mora dentro de você. É acordar com a certeza de que você tem tudo sob controle.

Não é fácil chegar a esse ponto, nunca é. Claro que o mundo lá fora influi de maneira determinante. Às vezes está tudo bem e o acaso dá um jeito de revirar a vida com violência — viver é também estar sujeito ao inesperado. Mas podemos, desapegando de umas coisinhas aqui e ali, aprender com esses momentos e nos fortalecer, pois já que não podemos controlar o que acontece lá fora, vamos dar um jeito nas coisas aqui dentro. A gente precisa sofrer, chorar, se decepcionar, se machucar, e chorar mais um pouco, precisa soluçar, enxugar as lágrimas, chorar de novo, se olhar no espelho por um momento e, de tanta aflição, rir descontroladamente. Rir até a barriga doer. Enfim, superar.

E foi isso que eu fiz. Demorou, levou um tempo e, como em todas as histórias, tive que apanhar bastante para aprender que devemos amar plenamente aquilo que enxergamos no espelho. Devemos nos aceitar como somos. Seres humanos cheios de imperfeições, emoções loucas e uma bagagem de coisas ruins. Erros, problemas, um passado que se quer apagar. Todos nós temos um pouquinho disso na vida. Só que precisamos parar com essa mania de colocar os problemas em uma mala e sair carregando por aí como se eles fossem essenciais. Como se eles fizessem parte do que somos. Não fazem. Aliás, tudo que te faz mal é completamente descartável. Você não precisa carregar um erro por toda a sua vida, carregue a lição que aprendeu. O erro? Você deixa lá no passado, que é o lugar a que ele pertence, e de onde nunca deveria ter saído.

Desapegar; remover da sua vida toda e qualquer coisa que te atrase, reprima e torne o seu coração pesado.

É hora de encarar a si próprio. O desapego não vem na mesma velocidade que o apego. Bem sabemos nós, apegados a problemas. Acho que faz parte do instinto dramático do ser humano. Precisamos ter algo pra reclamar. Algo que justifique a ladainha. Todos nós temos um pouco essa inocência de nos sentirmos vítimas do destino. "Por que comigo?"; "Tudo dá errado na minha vida!"; "Nunca vou ser feliz!".

É. Você nunca vai ser feliz se não se permitir. Não se apega, não. Desocupe lugares. Incinere o velho para abraçar o novo. O passado só existe em fotografias, as pessoas mudam, o coração cicatriza. Aquele que se recusa a mudar se recusa a ser feliz. Mude o cabelo, as roupas, o quarto, a atitude.

Foi difícil, quase impossível, mas eu abandonei a minha mala de problemas em uma esquina qualquer. Era tralha pra todos os lados, fiquei até com vergonha de deixar aquilo ali no meio da rua. Virei as costas e não olhei pra trás. Depois de tomar essa decisão, comecei a levar tudo com mais segurança e firmeza. Confesso, me senti libertada. Não existiam mais espaços vazios no meu coração.

Consegui. Fui em frente. Claro que devo muito ao Pedro. A Amanda. Aos caras canalhas que tanto me decepcionaram. Sem eles, eu não teria amadurecido tão cedo. Aprendi a aceitar que as pessoas não são perfeitas e que minha vida não é um filme. Pelo menos não um filme com um final feliz clichê ao lado de um "amor verdadeiro". Deus é testemunha do que passei ao acreditar que tudo poderia terminar num lindo *happy end*. Ô, se é! Porém, vejam só, o meu final é sozinha e feliz. E que ninguém venha jogar olho gordo em cima, não! O amor? Ah, eu tenho muito tempo pela frente pra me apaixonar. E me decepcionar. Estou aí pro que der e vier. Pode vir. Vem.

Se tem uma coisa que a vida me ensinou é que quando caímos de cara no chão a atitude a tomar logo em seguida é rir de si mesmo. E, logo depois, acreditar que o amanhã vai ser um pouco melhor...

Agradecimentos

Agradeço aos meus leitores, que sempre acreditaram em mim e me deram confiança quando nem eu mesma tinha. Foram eles que me fizeram crer que o que eu escrevia importava para o mundo, e sem eles, bem, eu não chegaria até aqui.

A Livia de Almeida, minha editora, pela paciência, preocupação e carinho. A Thadeu Santos, também da Intrínseca, por sempre me mostrar o caminho certo, por sua dedicação e por ter me dado a mão e caminhado comigo lado a lado na batalha do meu primeiro livro. Era um desafio e tanto, e sem eles eu não conseguiria. Teve momentos em que pareciam pais preocupados com uma filha, e hoje eu só tenho a agradecer imensamente.

Ao meu pai, Paulo André Freitas, por compartilhar comigo a paixão por livros, por comprar livrinhos — que eu amava — em caixinhas de papelão quando eu era ainda muito pequena, por ter dado seu voto de confiança de que eu seria capaz de estar em sua estante, dessa vez como autora. Por ter me levado às reuniões na Editora Intrínseca, tendo que cancelar todos os seus compromissos do dia somente para me fazer companhia e estar comigo em momentos tão importantes. Por todo o amor.

À minha mãe, Regina Dias Ribeiro Freitas, por ser a mulher mais linda que conheço. Por me inspirar, por ser essa criatura doce, dedicada, amável e pura. Por ser mãe, mulher, amiga e anjo. Tudo em um só corpo. Por ter se orgulhado de mim durante toda a minha vida, até quando minhas publicações não passavam de cartas desenhadas com muitos corações e estrelas. Por me dar tanto amor e nunca me deixar desacreditar desse sentimento que inunda meus olhos toda vez que a vejo.

À minha irmã, Marcella Ribeiro Freitas, que não gosta de ler, mas deveria.

A Kina Grannis, por todas as músicas inspiradoras que escutei enquanto escrevia este livro.

www.intrinseca.com.br

1ª edição	MAIO DE 2014
reimpressão	JUNHO DE 2023
impressão	CROMOSETE
papel de miolo	PÓLEN NATURAL 70G/M²
papel de capa	CARTÃO SUPREMO ALTA ALVURA 250G/M²
tipografia	WHITMAN